W9-AWS-747

BREVE HISTORIA DE LAS CIUDADES DEL MUNDO ANTIGUO

Breve Historia de las ciudades del mundo antiguo

Ángel Luis Vera

Colección: Breve Historia
www.brevehistoria.com

Título: Breve Historia de las ciudades del mundo antiguo
Autor: © Ángel Luis Vera Aranda

Doña Juana I de Castilla 44, 3° C, 28027 Madrid
www.nowtilus.com

Editor: Santos Rodríguez
Coordinador editorial: José Luis Torres Vitolas
Director de colección: José Luis Ibáñez

Diseño y realización de cubiertas: Universo Cultura y Ocio
Diseño del interior de la colección: JLTV
Maquetación: Claudia R.

ISBN-13: 978-84-9763-771-8
Fecha de edición: Noviembre 2009

Printed in Spain
Imprime: Graphycems
Depósito legal: NA-2861-2009

Para Ángel,
mi padre.

ÍNDICE

Introducción

El urbanismo en el mundo antiguo

Hace unos diez mil años, en un lugar del Mediterráneo oriental al que conocemos como Palestina, un grupo de hombres y mujeres decidieron construir sus viviendas con el objetivo de agruparse y vivir en comunidad. De esta forma, se beneficiaban mutuamente. Comenzaba así uno de los procesos económicos, sociales, culturales y políticos más importantes que la Historia ha conocido: el urbanismo.

Aquellos primeros poblados fueron creciendo poco a poco. La agricultura y la ganadería, que se habían iniciado algún tiempo antes, fomentaban ese proceso. La vida en conjunto resultaba más fácil si todos los habitantes de un lugar colaboraban en el mantenimiento de estas tareas y de otras nuevas que surgían a raíz de esa agrupación. Entre otras ventajas, todos podían cooperar en mayor o menor medida en caso de que un enemigo atacara. La concentración de personas permitió, además, que unos cuantos pudieran especializarse en oficios distintos a los de pastor o agricultor, y es que la tierra daba suficientes beneficios como para que algunos pudieran dedicarse a otras actividades. Surgían así los ceramistas, que elaboraban recipientes; los alarifes, que edificaban casas; los sacerdotes, que ponían en contacto a los seres humanos con las divinidades; los carpinteros, que fabricaban útiles para el trabajo de los demás; los soldados, que defendían de manera profesional de sus enemigos a quienes producían alimentos; y muchas otras profesiones nuevas. Se iniciaba de esta forma un proceso que, salvo en contadas ocasiones, evolucionaría con el paso del tiempo. Las aldeas acabaron por convertirse en pueblos al crecer su población, y estos pasaron a denominarse ciudades cuando esa población alcanzó un nivel de desarrollo y de diversificación social y económica más avanzada. Entre estas últimas, hubo algunas que destacaron sobremanera. Será a ellas a las que dediquemos especialmente nuestra atención en este libro.

Las ciudades aparecieron, en primer lugar, en zonas caracterizadas por una acusada aridez, pero que, sin embargo, eran surcadas por ríos caudalosos que podían abastecer a un gran volumen de población ubicada junto a ellos. El agua de los ríos abastecía de líquido para satisfacer las necesidades diarias, pero sobre todo, su uso adecuado permitía regar los cultivos que nunca hubieran podido germinar con el único aporte de las lluvias. No solo era el agua que por ellos corría, también los limos fértiles, que dejaban al descender el nivel de las mismas cuando las crecidas disminuían, aportaban una mayor fertilidad a la tierra, y hacían que las cosechas fueran mucho mayores que en otras zonas donde esos ríos no discurrían.

En realidad, no eran los ríos quienes pasaban por las ciudades, era más bien todo lo contrario. Los seres humanos se dieron cuenta pronto de la importancia de este hecho y se acercaron a los cauces de los ríos aunque, de vez en cuando, estos se volvían ingobernables, crecían excesivamente y arrastraban a todo cuanto se encontraban a su paso. Aun así, los asentamientos urbanos buscaron siempre (y continúan haciendo lo mismo) su proximidad. Junto a ellos, no faltaban los alimentos, siempre y cuando los hombres y mujeres cooperaran en domesticar las aguas mediante canales, acequias, terraplenes y todo tipo de obras hidráulicas. Tampoco las personas se morían de sed, ni incluso en las épocas de mayor sequía, y por si estas ventajas fueran pocas, los grandes ríos favorecían el comercio entre las ciudades que se encontraban a lo largo de su curso. De esta forma, fomentaron también el arte de la navegación, que permitió un mayor contacto entre las personas y entre culturas de zonas bastante alejadas, consolidándose de esta forma como vías naturales de comunicación.

Este fenómeno se dio de forma originaria, y especialmente, en determinados puntos del planeta que reunían las condiciones anteriormente descritas: el valle del Nilo en Egipto, las cuencas del Tigris y el Éufrates en Mesopotamia, y el Indo en los confines occidentales de la India. Poco a poco, el fenómeno se fue extendiendo, sobre todo hacia el extremo oriental del gran continente euroasiático. Primero por el río Ganges, también en la India, luego por las cuencas del Yang Tse Kiang (o Yangtze) y el Ho Ang Ho (o Huang He) en China. Paralelamente a este proceso, el urbanismo saltaba también desde Mesopotamia y la costa sirio-palestina y se expandía por la península de Anatolia en dirección hacia Europa.

La puerta de Ishtar es uno de los monumentos más importantes de la antigua ciudad de Babilonia. Esta reconstrucción se encuentra en el Museo de Pérgamo, en Berlín.

Oriente Próximo, India y China fueron pues las grandes zonas del mundo donde surgieron las primeras civilizaciones urbanas, y en ellas, durante muchos milenios, fue donde se concentró el mayor número de ciudades, así como los conjuntos urbanos de mayor población. Este fenómeno de concentración del hecho urbano se mantuvo casi inalterable hasta hace unos dos o tres siglos, cuando a raíz de la Revolución Industrial dos continentes (Europa y América) hasta entonces con relativa poca importancia en cuanto a la concentración urbana en grandes núcleos, empezaron a destacar. Las ciudades crecieron espectacularmente en estas dos áreas desde esos siglos XVIII y XIX, y el fenómeno ha continuado hasta nuestros días, aunque muy recientemente tanto Europa como América están perdiendo de nuevo esta preponderancia que han tenido hasta hace poco tiempo.

Sin embargo, desde nuestra perspectiva occidental, tanto China como India son civilizaciones que se hallan muy alejadas de nuestro núcleo territorial, y además poseen civilizaciones de las cuales la nuestra apenas sí ha recibido herencias, al menos directamente. En tiempos antiguos, cuando las comunicaciones eran muy inferiores a las que actualmente gozamos, China e India casi eran desconocidas para los europeos. No solo era su lejanía, sino que grandes extensiones de mar, gigantescas montañas e inacabables desiertos se interponían en las relaciones entre los seres humanos, aunque éstas existieron y, en algunas etapas, llegaron incluso a ser relativamente intensas. A esto hay que unir el hecho de que ambos territorios han experimentado una profunda decadencia en los últimos doscientos años, justo cuando la civilización euroamericana más se desarrollaba. En cualquier caso, ese absurdo eurocentrismo no debe hacernos olvidar nunca que ha sido allí, en el lejano extremo oriental del continente, donde el urbanismo, la cultura y la ciencia han alcanzado su punto más culminante a lo largo de la mayor parte de la Historia, con escasas excepciones, aunque este hecho sea poco conocido para los occidentales en general. Por ese motivo, en esta obra intentaremos dar unas breves pinceladas sobre la importancia del urbanismo en aquellos lugares. Si bien es cierto que, a causa de pertenecer al mundo occidental y debido a la herencia cultural que arrastramos, dedicaremos la mayor parte de nuestra atención al desarrollo urbano que, partiendo de Oriente Próximo, se fue ampliando paulatinamente por el mundo mediterráneo hasta acabar englobando en su totalidad al mundo europeo y después al americano.

Desde Mesopotamia, desde Egipto y desde la costa sirio-fenicio-palestina, el urbanismo se extendió hacia la península de Anatolia, de ahí siguió avanzando primero por la Grecia insular (la isla de Creta y la cultura minoica) y luego por la Grecia continental (la cultura micénica y, posteriormente, la civilización helénica clásica). Fueron los propios griegos, junto con los fenicios, quienes se encargaron de expandirlo hacia occidente mediante las colonizaciones. De esta forma, los fenicios fundaban la ciudad de Cartago en el norte de África, y pocos años después tenía lugar el surgimiento de una de las grandes urbes del mundo antiguo y de toda la Historia: Roma. Griegos y romanos dieron el impulso decisivo al fenómeno urbano en la Antigüedad, no solo porque ocuparon todo el territorio bajo su control basándose en una densa red de ciudades, sino porque, además, modificaron sustancialmente la estructura interna de las mismas aportando un diseño mucho más racional a su plano. Esto sucedió en especial gracias a los urbanistas clásicos de Grecia en su mayor apogeo. Así, en el siglo V a.C., Hipódamos de Mileto diseñaba en esa ciudad el plano que lleva su nombre y que tanto ha contribuido a la planificación urbana de muchas ciudades que surgieron después de él. Durante unos mil años, la civilización grecolatina se basó en un complejo mundo de ciudades, pero en el siglo V d.C., esta situación empezó a cambiar. Una serie de motivos que analizaremos en su momento, provocaron una crisis de las ciudades que ya se había iniciado doscientos años antes. En poco tiempo, las urbes disminuyeron su población, y en muchos casos llegaron a desaparecer. La Alta Edad Media (siglos V al X) fue un período para Europa en el que el fenómeno urbano languideció y, en muchos casos, supuso la muerte de numerosas ciudades que habían sido emporios florecientes de economía y cultura durante muchos siglos.

Pero no en todas partes fue igual. En Oriente, las ciudades conservaron su importancia en buena medida. La civilización bizantina, heredera directa del mundo grecorromano, mantuvo la tradición urbana de sus antepasados. Poco después, un nuevo impulso surgiría de las regiones desérticas de la península Arábiga. Era el islam. La nueva religión se expandió con una rapidez asombrosa y, en su extensión por todo el mundo Mediterráneo y más allá de él, la cultura urbana recibió a su vez un nuevo aporte vital. Los musulmanes reactivaron las ciudades y construyeron otras nuevas. Hace mil años las mayores urbes del mundo se encontraban en territorios que seguían esa nueva religión. Mientras tanto, Europa languidecía, pero no por mucho tiempo. Desde la península Ibérica se expandía el renacer de las ciudades. Lentamente, poco a poco, las ciudades europeas comenzaron a recuperarse. Durante la Baja Edad Media (siglos XIV y XV) su crecimiento fue lento, aunque en algunos casos, que serán objeto de nuestra atención en otro libro, se vislumbraba ya en ese crecimiento el germen de una nueva civilización destinada a gobernar el mundo. A partir del siglo XV, Europa saltaba sus fronteras y con ello se reactivaba el crecimiento urbano de sus ciudades más florecientes. Comenzaba una nueva etapa en la Historia en general y del urbanismo en particular. Nuestro libro se detiene en la primera de estas grandes etapas. Son tantas las transformaciones que se experimentaron a continuación, que harán falta otras obras como esta para narrarlas.

En este libro, presentamos una breve historia de las ciudades del mundo antiguo, si bien hemos atendido exclusivamente a aquellas cuyo origen no estuvo relacionado con la civilización grecolatina. Nos centramos fundamentalmente en su evolución urbana y en su crecimiento demográfico. Analizamos diferentes aspectos como su estructura, la morfología y tipología de plano, la funcionalidad principal que tuvieron y hacemos también referencias a su patrimonio artístico y monumental. Nuestro interés se centrará no solo en narrar el proceso de surgimiento, crecimiento y auge, sino que también nos detendremos, cuando sea el caso, en el proceso de decadencia y las causas que lo produjeron. De esta forma, entenderemos por qué el legado del mundo antiguo nos ha llegado tan incompleto y fragmentado.

Criterios de selección de las ciudades: espaciales, por áreas y cronológicos

A la hora de seleccionar las ciudades que figuran en esta obra hemos seguido una serie de criterios que básicamente podemos resumir en tres:

a) La importancia demográfica y urbana. Se trata en la mayor parte de los casos de ciudades que han sido, en su momento, la aglomeración urbana con mayor número de habitantes que había en el mundo, o que al menos tenían un volumen de población muy similar a la ciudad que en ese instante era la más poblada del mundo. Es preciso aclarar, en este caso, que este criterio presenta una grave dificultad, ya que desgraciadamente las fuentes de información de que disponemos sobre las ciudades de la Antigüedad apenas sí hacen referencias a su número de habitantes, y las escasas fuentes conservadas son muy poco fiables en este sentido. El método seguido ha sido el de estimar su número de habitantes en función de su superficie y de los cálculos sobre la densidad de población, que son los que siguen la mayor parte de los autores para conocer qué cantidad debieron albergar aproximadamente.

b) Además de las ciudades más pobladas, el segundo criterio es el de presentar ejemplos representativos de aquellas áreas del mundo que, aunque nunca llegaron a albergar la ciudad con más habitantes de su tiempo, al menos nos permita seleccionar una gran metrópolis que estuviera entre las más habitadas del planeta. Este sería el caso de Teotihuacán como representante del altiplano mexicano y por extensión de Centroamérica y Norteamérica.

c) En último lugar, presentamos tipologías concretas que revisten una determinada excepcionalidad o tienen un particular interés. Es el caso de Jerusalén, cuya importancia viene dada no por su volumen de población, sino por haber sido una ciudad sagrada para las tres grandes religiones monoteístas que existen ahora mismo en el mundo.

Las ciudades que hemos seleccionado son, por tanto, las siguientes: Ur, en Mesopotamia, como la primera gran aglomeración urbana de todos los tiempos; Babilonia, en la que dedicaremos especial atención a la época de Nabucodonosor, donde probablemente se concentraron más maravillas que en cualquier otra ciudad del mundo antiguo; Tebas, la gran capital del Egipto de los faraones; Cartago, la capital púnica convertida posteriormente en floreciente colonia romana; Jerusalén, sobre la que explicamos anteriormente la causa de su inclusión; Pataliputra/Patna, como representante de las enormes ciudades que florecieron en la civilización india; y Teotihuacán, el gran centro urbano del altiplano mexicano.

En esta lista es cierto que se pueden apreciar muchas ausencias significativas, como Jericó, en Palestina; Menfis, en Egipto; Mohenjo Daro, en India; o Nínive, la capital del antiguo Imperio asirio. Alguna referencia breve haremos finalmente a ellas, pero según nuestro criterio son, por todas las razones expuestas para cada caso, más interesantes las primeras que las citadas anteriormente, y por lo tanto en aquéllas se centrará nuestra explicación.

En parte, esto obedece a que los criterios que hemos seguido no se centran en aspectos tales como la importancia política, salvo que ello afecte directamente a la historia urbana de las ciudades. Tampoco nos hemos dejado llevar por su importancia económica exclusivamente, y solo la citaremos cuando ello implique una transformación significativa en el interior de la ciudad o en sus límites. Hemos decidido también no integrar la historia de las mentalidades o la sociología urbana, salvo en el caso de Jerusalén, pero, en general, no nos detendremos en gran medida en los problemas o controversias de tipo religioso. Ni tampoco hemos pretendido realizar un estudio artístico de las ciudades, al menos no en cuanto a la importancia de la obra de arte en sí, aunque sí le dedicaremos especial atención a lo que las mismas suponen de monumentalidad o de importancia en el patrimonio urbano de las ciudades estudiadas.

A la hora de presentar este libro, se han agrupado las ciudades por áreas geográficas o, en los casos que esto no ha sido posible, por su pertenencia a determinadas civilizaciones. El criterio seguido al presentar la evolución urbana ha sido básicamente el de su cronología, en la que hemos intentado tener un especial cuidado, si bien es cierto que en muchos casos presentan muchas dudas, ya que según los autores que se sigan, se dan unos u otros años sobre un acontecimiento determinado.

Hemos dejado para otros volúmenes de esta obra las ciudades clásicas grecorromanas, así como las ciudades medievales, ya que entendemos que obedecen a pautas urbanas que difieren en buena medida de las de época antigua, aunque sean herederas directas de las mismas. En realidad, todas las ciudades que han existido a lo largo de la Historia son herederas de aquellos primeros núcleos urbanos que surgieron en Oriente Próximo hace unos miles de años, y ese origen es el que pretendemos dar a conocer en este libro.

1

Las primeras civilizaciones urbanas: el inicio de las ciudades en Mesopotamia

Mesopotamia fue, junto a Egipto, la primera zona del mundo en la que empezó a desarrollarse la civilización urbana a gran escala.

La primera gran aglomeración urbana de todos los tiempos: el gran Ur

La expansión del fenómeno urbano por el mundo ha sido siempre un proceso lento pero constante. Si hace 10.000 años aparecieron los primeros asentamientos en la costa sirio-palestina, la nueva forma de organizarse en ciudades tardó un considerable período de tiempo en ser imitada en otros lugares.

En la región que llamamos Oriente Próximo discurren dos grandes ríos. Nacen en montañas lejanas, en las cuales la lluvia es relativamente frecuente, e incluso lo es también la nieve en sus más altas cumbres. Desde allí, el agua se desliza durante miles de kilómetros buscando su salida al mar. Ambos ríos, a los que conocemos con los nombres de Tigris y Éufrates, discurren muy cerca el uno del otro, casi en paralelo. Cuando los observamos en el mapa, hay veces en que parece incluso que se van a unir. Pero esa unión solo sucede muy cerca de su desembocadura, y es debido a motivos que luego explicaremos.

La porción de tierra que queda entre ellos es estrecha, y posee un clima bastante seco en el que llueve muy poco. Sin embargo es una tierra muy fértil. El limo que depositan ambos ríos es muy rico y de una gran productividad para los cultivos. Hace miles de años, los hombres y mujeres que habitaban en aquella región se dieron cuenta de esta característica. Y la supieron aprovechar.

Esta región que se encuentra entre esos dos grandes ríos recibe el nombre de Mesopotamia, y hoy en día coincide en esencia con Irak. *Mesopotamia* es una palabra griega. Procede a su vez de la agregación de dos palabras, *Meso*, que significa 'en medio', y *Pótamos*, que quiere decir 'río'. Así, *Mesopotamia* significa 'Tierra entre ríos'. Las personas que vivieron allí hace miles de años eran conscientes de que la tierra no se podía cultivar solo con el aporte del agua de lluvia, que era bastante escasa, y por lo tanto insuficiente para que germinaran de forma adecuada las cosechas. Pero descubrieron que si podían controlar el agua de los ríos, esa misma tierra, regada adecuadamente, podía rendir unos frutos suficientes para alimentar a una considerable población.

Decidieron pues organizarse, y trabajaron conjuntamente para construir una red de canales y acequias que permitiera llevar el agua de los ríos a puntos muy distantes. De esa forma, el agua regaba las semillas que se plantaban y estas germinaban de forma espectacular gracias a las elevadas temperaturas que posee la zona. Pero para construir la red de canales, embalses y presas era necesario que hubiera alguien que se encargara de coordinar todos los trabajos. Surgió así el poder, tanto en forma de reyes o gobernantes, que dictaban sus órdenes para el bien común, como de sacerdotes, que decían interpretar los designios de los dioses, que era quienes mandaban sobre los ríos y sobre las personas, y dictaminaban cuándo el río llevaría mucha o poca agua.

Esa organización hizo de Mesopotamia un lugar particularmente rico y poblado. Las elevadas cosechas permitían alcanzar un alto nivel de producción en los alimentos, y de esta forma, se abastecía a cientos de miles de personas en un lugar en el que antes difícilmente podían vivir unos pocos de cientos.

El siguiente paso fue crear una red de ciudades que favorecieran la vida de los agricultores que desarrollaban su labor en ese espacio. Pero para ello, para que surgiera una importante cultura urbana, era necesario que el pueblo que en ella vivía tuviera un cierto nivel de civilización. No es fácil que surjan grandes culturas urbanas de forma totalmente espontánea, y el caso de Mesopotamia no fue distinto al de otros lugares del mundo.

Hacia el V milenio a.C., un pueblo de procedencia desconocida, al que conocemos con el nombre de sumerio, se asentó en Mesopotamia. Los sumerios traían ya un cierto nivel de civilización, y cuando llegaron a la 'Tierra entre ríos', la consideraron el lugar adecuado para desarrollar ahí su cultura y hacerse sedentarios. De esta forma se iniciaba una tradición que iba a continuar hasta hoy día. Mesopotamia se convertía en una de las pocas áreas del mundo en las que a lo largo de la Historia siempre han existido una o varias de las más grandes ciudades del planeta. Solo en un lugar en el que se puede abastecer una gran cantidad de población, debido a una floreciente agricultura, puede permitirse el hecho de que haya grandes urbes en las que se concentren cientos de miles de personas.

La ciudad del Diluvio Universal

La primera de las grandes ciudades mesopotámicas fue Uruk, en el IV milenio a.C. Pero con el tiempo, aparecerían otras nuevas que la desbancarían y se acabarían convirtiendo en la ciudad más grande del mundo a partir de aquel momento. De todas ellas, la que alcanzó más importancia en esos tiempos primitivos de los sumerios fue Ur.

Ur debió aparecer probablemente hacia mediados del V milenio a.C., como un pequeño poblado situado en las tierras bajas al sur de Mesopotamia. Sus restos se hallan a 24 kilómetros al sur de la actual ciudad de Nasiriya, en Irak. A lo largo del siguiente milenio, la aglomeración se desarrolló considerablemente. Se ha calculado que poco antes del año 3000 a.C., la ciudad podía albergar ya a un total de 10.000 personas, lo que resulta una cantidad considerable para aquel tiempo. Pero además se ha calculado que otras 40.000 podían vivir en las cercanías, trabajando en los campos y huertas de los alrededores para abastecer a la floreciente comunidad urbana.

Sin embargo, poco o casi nada sabemos de esta primitiva ciudad. A lo largo de un período de tiempo que pudo durar varios siglos (quizás entre el año 3100 y el 2800 a.C.), Ur sufrió una serie de devastadoras inundaciones que pudieron llegar a alcanzar los nueve metros de altura en algunos de sus puntos. Estas inundaciones la acabaron destruyendo y sepultando bajo una espesa capa de cieno y de limo de varios metros de espesor. Cuando los arqueólogos trabajaron en las ruinas de la ciudad hace un siglo, se encontraron que debajo de los estratos más recientes aparecía una enorme acumulación de barro de más de tres metros de espesor que enterraba a otras estructuras aún más antiguas.

Algunas personas han intentado ver en este hecho la plasmación real de la leyenda bíblica del Diluvio, y es posible que algo de verdad haya en esta afirmación. Solo una gran inundación (o probablemente una serie seguida de grandes inundaciones) pudo dejar tal cantidad de sedimentos sepultando a la mayor parte de las ciudades mesopotámicas. Las leyendas sobre el Diluvio no solo son sumerias, existen en casi todas las civilizaciones antiguas, pero en pocos casos es posible comprobarlas con tanta claridad como en el caso de Ur.

Hacia el 2900 o 2800 a.C, Ur empezó a recuperarse de los efectos de la gran inundación. La vida urbana se reactivó, se consolidó una primera dinastía de reyes que empezaron a hacer grande a la ciudad. Para ello construyeron dos puertos en la desembocadura del río Éufrates, junto al mar, y de esa manera fomentaron el comercio con la urbe. Ur prosperaba porque, entre otras cuestiones, se encontraba junto al mar. Esto favorecía los intercambios comerciales, y la ciudad no solo se enriquecía porque estuviera rodeada de un suelo fértil, sino también porque podía vender y comprar productos en tierras muy lejanas. El mar le dio también la prosperidad, y no solo la posesión de una tierra muy fértil.

En esta época (hacia el 2600-2400 a.C.), Ur debía de albergar considerables riquezas. La prueba de ello es que, cuando los arqueólogos excava-

El estandarte de Ur, uno de los ajuares hallados
en el cementerio real de esta ciudad.

ron muchos siglos después los cementerios de sus reyes, encontraron en ellos objetos sorprendentemente lujosos en los ajuares de sus tumbas. El llamado estandarte de Ur es un ejemplo de ellos, pero en general, los objetos hallados nos hablan de una sociedad rica y opulenta, al menos en lo que se refiere a las capas sociales más altas de la misma.

El gran Ur de Ur Nammu y Shulgi: La mayor ciudad del mundo hace 4.000 años

Durante casi mil años, Ur no dejó de crecer a pesar de las relativamente frecuentes guerras que azotaban periódicamente a Mesopotamia. Los acadios, habitantes de una ciudad cercana, ocuparon Ur durante varios siglos, pero cuando aquellos entraron en crisis, los habitantes de Ur se rebelaron contra sus opresores e iniciaron su propio camino, convirtiéndose en los líderes del pueblo sumerio.

Esto llevó a Ur al apogeo de su poder a partir del año 2200 a.C. En un momento determinado de su historia, y durante un período superior a dos siglos, Ur fue probablemente la mayor ciudad del mundo, y quizás también la más rica, junto con otras como Nish, Uruk, Lagash o Nippur.

En 2113 a.C., subió al poder un nuevo soberano de nombre Ur Nammu, y con él se inició lo que se conoce como III dinastía de Ur. Ur Nammu reinó durante veinte años y con él se produjeron importantes transformaciones en la urbe. En primer lugar, Ur Nammu se dedicó a proteger a la ciudad, y para ello ordenó que se levantase un terraplén defensivo de considerables dimensiones, cuyos muros estaban recubiertos de ladrillos cocidos. Durante su reinado también se construyó un enorme zigurat, una especie de torre escalonada con una base de más de sesenta metros, y una altura que superaba los cuarenta. Ur Nammu inició la edificación de un recinto sagrado en el que levantó una serie de templos a la diosa Nanna. Por último, ordenó la construcción de un nuevo palacio real que ofreciese un recinto digno de los reyes de la ciudad.

Ur Nammu no solo destacó por su labor constructora, también fue un legislador muy importante, hasta el punto de que el primer código de leyes que conserva la humanidad es el que se compiló por orden suya. Su época también debió ser de florecimiento económico y cultural. Se conservan miles de tablillas de barro en las que los escribas redactaron numerosos textos sobre registros y transacciones comerciales en escritura cuneiforme, esto es, mediante pequeñas incisiones con un punzón en forma de cuña. Estas tablillas de barro, después de haber sido cocidas, se endurecen de tal modo que, cuatro mil años después de haber sido escritas,

El zigurat construido por Ur Nammu en la ciudad de Ur fue uno de los más antiguos y también uno de los mayores de Mesopotamia.

permiten a los arqueólogos revivir cómo debería ser la vida en una antigua ciudad mesopotámica.

A Ur Nammu le sucedió un soberano también muy capaz que continuó embelleciendo y dándole cada vez más importancia a la ciudad, su hijo Shulgi. Durante casi medio siglo, Shulgi rigió los destinos de Ur, y fue probablemente en su reinado cuando la ciudad alcanzó la cumbre de su poder y esplendor. Su actividad constructora fue notable. En su época se erigieron nuevos santuarios a la diosa Nanna, los templos de Gipar y Nerigal, amplió el Erkhursag, el palacio que había iniciado Ur Nammu, y construyó también un mausoleo de carácter hipogeo, es decir, subterráneo, para cuando muriera.

Al margen de la actividad constructiva, Shulgi dotó a la ciudad de un equipamiento que hasta entonces, que sepamos, no había tenido ninguna otra ciudad. Ordenó traer animales de diferentes partes y los mantuvo encerrados en un recinto para que sus súbditos pudieran observar las especies que allí se exhibían. Es el primer testimonio que poseemos de la existencia de un zoológico.

Tras la muerte de Shulgi, los soberanos que le sucedieron mantuvieron todavía el esplendor de Ur durante varias décadas más. En este momento, hace unos 4.000 años, Ur era probablemente la ciudad más poblada del mundo. Hay cálculos que estiman una población de hasta 65.000 personas en el espacio construido en el interior de su recinto. Pero esos cálculos no contabilizan a la enorme población que vivía en los alrededores, decenas de miles de agricultores que trabajaban los fértiles campos que la rodeaban y que abastecían con sus productos a la población de Ur que vivía dentro de sus murallas. Su *hinterland* o área de influencia era tan grande que se ha estimado que cerca de un cuarto de millón de personas podía vivir en ella. Hasta aquel momento, ninguna ciudad en la Historia había alcanzado semejante nivel de población.

Por aquel entonces, Ur era el mayor centro político, cultural, administrativo, religioso y económico que había en Mesopotamia, y quizás en el mundo. La civilización sumeria se hallaba en su apogeo. Los sumerios fueron grandes inventores, a ellos les debemos aportaciones como la escritura, la rueda, la astronomía, las matemáticas, la bóveda, las empresas comerciales, etc. Probablemente muchos de esos inventos tuvieron lugar en la propia Ur. El comercio marítimo propiciaba también los contactos con otras tierras, y sin duda, los mercaderes no solo traían productos, sino también nuevas ideas y conocimientos que los sumerios supieron aprovechar espléndidamente para el desarrollo de su cultura.

El centro urbano de Ur poseía una gran densidad de población según demuestran los restos arqueológicos que han llegado a la actualidad. La población vivía hacinada entre los enormes muros que se estiman llegaron a alcanzar hasta 27 metros de altura. La falta de espacio en el interior debía ser sofocante. Las callejuelas eran sumamente estrechas e irregulares. Las manzanas de casas no seguían ningún plan preestablecido, sino que se distribuían anárquicamente en el interior del espacio amurallado. Las calles estaban sin pavimentar, solo la tierra batida servía de firme para que por ellas pasaran con dificultad los carros, los animales y las personas, pues eran de una anchura ínfima en muchos casos.

En el exterior del recinto amurallado se encontraban los dos puertos artificiales junto al río Éufrates y junto a lo que entonces era el golfo Pérsico. Numerosos suburbios se extendían por la periferia urbana a lo largo de un radio de más de dos kilómetros en todas direcciones. En ellos vivían miles de personas dedicadas a la agricultura de regadío en los fértiles huertos y campos que rodeaban a la ciudad. Al sur del casco urbano se hallaba un importante barrio residencial, el de Isin Larsa. En él se encuentran los ejemplos más representativos de las viviendas de esta época. Casas muy estrechas e irregulares que se abrían a un patio central en el que se desarrollaba principalmente la vida familiar.

La emigración de Abraham y el alejamiento de la costa del Golfo Pérsico

Tal y como hemos visto, hacia el año 2000 a.C., Ur estaba en su apogeo en todos los sentidos. ¿Qué pasó entonces para que en poco tiempo la ciudad y su modo de vida se vinieran abajo completamente? Desconocemos con seguridad los detalles que dieron pie a este proceso, pero quizás se expliquen por el hecho de que hacia 2006 a.C. se experimentaron de forma seguida una serie de malas cosechas que trajeron el hambre a su población. Esta se debilitó por la falta de alimentos, y la consecuencia de este hecho fue que el gobierno acabó cayendo en la anarquía.

En ese contexto de crisis, aparecieron dos pueblos de las montañas que atacaron a Ur con el objetivo de apropiarse de sus riquezas. Los amorritas por el norte, y los elamitas por el sur, aprovecharon la situación de debilidad en que se encontraba para atacar casi conjuntamente, destruir sus murallas y penetrar en el interior de la urbe saqueándola. En solo tres años, la clase dominante sumeria perdió el poder, la ciudad se enfrentó a una serie de destrucciones, como la del templo de Gipar, y la crisis se acentuó todavía más.

La consecuencia fue que, ante la nueva situación, miles de personas optaron por marcharse y buscar otras tierras que les ofrecieran mejor cobijo y seguridad. A partir del año 2000 a.C. los habitantes de Ur comenzaron a abandonarla y la ciudad dejó de ser la más poblada del mundo. En el contexto de esta emigración, que probablemente se prolongó durante varios siglos, hay que situar la marcha de Abraham, el gran patriarca hebreo fundador del judaísmo, que al parecer se encontraba entre las personas que, junto con su familia, abandonó en esta época la ciudad para buscar un lugar más favorable en la tierra de Canaán. El judaísmo, del que proceden el cristianismo y el islam, tuvo por tanto su origen remoto en la ciudad de Ur, pese a que Abraham desarrollara posteriormente la mayor parte de su vida en la tierra prometida de Israel.

Aunque Ur se despobló y perdió un considerable número de habitantes, la ciudad continuó existiendo y con el tiempo se recuperaría, pero ya nunca llegó a alcanzar el esplendor de antaño. Entre mediados del siglo XIX y mediados del XVIII, siempre antes de nuestra era (es decir, como hemos estado señalando hasta ahora: a.C.), se llevaron a cabo una serie de reconstrucciones. Entre ellas cabe destacar un nuevo muro de defensa y la erección tanto del Edublamakh, o sede del tribunal, y el Ekunmakh, en el que se situó la sede del tesoro de la ciudad. Esta había vuelto a recuperar ligeramente su actividad económica y durante un siglo parecía que volvería a convertirse en la que había sido anteriormente.

Pero, por aquella época, apareció uno de los soberanos más poderosos del mundo antiguo. Se trataba de Hammurabbi, el rey de Babilonia, que estaba construyendo un imperio poderoso. Ur creyó que poseía suficiente fuerza para enfrentarse a la pujante Babilonia, y a mediados del siglo XVIII, se rebeló contra ella. Fue una decisión temeraria, los babilonios la devastaron, y lo que fue peor, le arrebataron el poder que como centro comercial poseía hasta entonces, llevándose las rutas comerciales que procedían de Oriente a su ciudad.

En ese momento, Ur debía ocupar unas 60 hectáreas, en las que todavía se hacinaban probablemente cerca de 20.000 habitantes, pero después del castigo que le inflingieron los babilonios ya no volvió a recuperarse nunca con la grandeza de antaño.

Su último destello importante tuvo lugar dos siglos después, cuando el rey casita de Babilonia, Kurigaltsu, dio orden de reconstruir el zigurat que se encontraba en ruinas, así como el resto de los templos. Durante dos siglos pareció que se detendría el proceso de ruina de Ur, pero no fue así. Hacia el 1300 a.C., debido a una serie de motivos de diversa índole (guerras, emigraciones y ataques de nuevos pueblos, malas cosechas, etc.), la población empezó de nuevo a abandonarla y sus templos y sepulcros volvieron a caer en la decadencia y a convertirse en ruinas. La ciudad quedó prácticamente deshabitada.

En el siglo VI a.C., los reyes caldeos Nabucodonosor II y Nabonido se fijaron en ella con la intención de reconstruirla, pero ya entonces era una aldea prácticamente muerta y sin vida. El deseo de recuperar su antiguo brillo no se pudo llevar a cabo, aunque sí que se iniciaron obras en algunos de sus antiguos monumentos que aún permanecían como testigos de su pasada grandeza. Parecía como si la naturaleza no estuviera dispuesta a permitir que la vieja Ur volviera a resurgir, y hacia el año 400 a.C. tuvo lugar un suceso que supuso la puntilla definitiva para la ciudad. El río Éufrates experimentó un súbito cambio en su curso y se retiró de la ciudad, lo que unido a un proceso de constante sedimentación aluvial, provocó que la costa del golfo Pérsico se fuese alejando progresivamente. De esa forma, Ur dejó de tener acceso directo al mar. Sus puertos se colmataron y quedaron inservibles. La ciudad, carente de una salida al mar, no tenía la más mínima posibilidad de sobrevivir y desapareció para siempre.

Más de dos milenios después, a mediados del siglo XIX, los arqueólogos europeos buscaron sus ruinas y finalmente la encontraron cerca de un asentamiento pobre y apartado llamado Tell el Muqayyat, que hoy día se encuentra nada menos que a 15 kilómetros del curso del Éufrates. A principios del siglo XX, el arqueólogo británico Leonard Woolley inició excavaciones sistemáticas en las ruinas y descubrió sus magníficas tumbas reales, con la mayor parte de sus ajuares intactos. A él se debe el que se identifique a la ciudad con la leyenda del

Diluvio, ya que interpretó los metros de limo que cubren su parte más antigua como un sedimento provocado por la inundación que siguió a esta gran catástrofe. Ur será por tanto para la Historia la ciudad del Diluvio y la ciudad de Abraham que nos describe el Antiguo Testamento de la Biblia.

La Babilonia de Hammurabbi

Decidir cuál ha sido la ciudad más hermosa de la Historia es complicado pero, sin duda, Babilonia (especialmente en la época de Nabucodonosor II) sería una justa aspirante a ese título, si hemos de dar crédito a las fuentes históricas de quienes la vieron en su momento de esplendor y nos legaron el testimonio de su pasado. Es posible que la Roma de los césares la superara en poderío, que la Alejandría tolemaica lo hiciera como centro cultural, que Chang An y otras ciudades orientales albergaran a más población, e incluso es posible que la Constantinopla de Justiniano y de sus sucesores tuviera más riquezas y más tesoros entres sus muros. Pero, probablemente, ninguna de esas metrópolis fascinantes haya superado en monumentalidad, en espectacularidad y en magnificencia a la gran ciudad que fue Babilonia entre los siglos VII y V a.C.

Cuando algunos de esos ilustres visitantes la vieron, como le ocurrió en ese siglo V a.C. al griego Herodoto —“el padre de la Historia”—, se quedaron tan asombrados de lo que pudieron observar que dejaron en sus escritos constancia de su admiración por las maravillas que acababan de contemplar. Fueron tantas las alabanzas que le dedicaron que, aún hoy en día, 2.500 años después, cuesta trabajo admitir que lo que ellos nos transmitieron pueda corresponderse lejanamente con la realidad. Siempre nos quedará la duda de que exageraron notablemente. O, de no ser así, el desconsuelo de haber perdido uno de los conjuntos urbanísticos más monumentales que la humanidad ha sido capaz de crear.

Babilonia: La puerta del cielo

La ciudad, que con el tiempo llegó a ser objeto de admiración de sus contemporáneos, comenzó su historia como una pequeña aldea a orillas del río Éufrates. No es fácil precisar la fecha en la que esto ocurrió, pero debió ser, probablemente, en torno a la primera mitad del III milenio a.C. Según la Biblia, fue un rey mitológico llamado Nimrod quien dio la orden de construirla, hacia el año 2500 a.C. Pero esa es una tradición que no ha podido ser comprobada. Sin embargo, sabemos con certeza que hacia el año 2340 a.C. aparece citada como una ciudad provincial tributaria del rey Sargón de Acad. Es la primera mención atribuible a Babilonia con total seguridad. Poco tiempo después, la ciudad se rebeló contra el rey, y este ordenó su destrucción. Sería el inicio de una lamentable tradición, que con el tiempo llevaría a arrasar y a reconstruir la urbe, varias veces a lo largo de su dilatada historia.

Babilonia se hallaba situada en un punto estratégico de la antigua Mesopotamia, ubicado hoy día unos 110 kilómetros al sur de la actual Bagdad. Al fértil y rico suelo que producía generosas cosechas, se unía el hecho de que el emplazamiento en el que se ubicaba era punto de paso en las rutas comerciales que unían el oriente con occidente. Gracias a esta situación, unida a un abundante abastecimiento de agua, la ciudad progresó enormemente durante más de dos mil años. De hecho, pocos años después de su primera destrucción, se iniciaron las labores de reconstrucción, para hacer de ella un conjunto mucho mayor de lo que era el primer pueblecito que hasta entonces había existido.

Hacia el año 2200 a.C. comenzó la erección de un primer templo dedicado a la diosa Ishtar, una de las principales de la ciudad, y que con el tiempo daría lugar a la construcción de otro templo mucho mayor y más conocido, el del Esagila o Esagil, al que comúnmente conocemos, gracias a la denominación que de él se da en la Biblia, como la Torre de Babel. El levantamiento de este primitivo templo debió ser muy lento, si hacemos caso a las inscripciones que conservamos, pues se debió de estar trabajando en él durante más de doscientos años, pero este hecho tuvo una repercusión muy importante. Al igual que sucedió con otras grandes ciudades de la antigüedad, como por ejemplo Tebas o Jerusalén, la construcción de un enorme santuario dedicado a un dios (o diosa en este caso) de gran importancia tuvo como consecuencia el que la ciudad se convirtiera también en un centro religioso. De esta manera, el prestigio de la religión se unió a la riqueza que en ella existía para darle aún más importancia que a cualquier otra ciudad vecina de Mesopotamia.

Aunque se desconoce exactamente cuál era la altura de este primitivo santuario, parece ser que no debió de ser pequeña. Quizás este hecho está en relación con el del propio nombre de la ciudad, ya que su denominación en esta primera etapa de su historia era la de *Bab Ilum*, o *Bab Ili*, que quiere decir 'Puerta del cielo' o 'Puerta de Dios', según otras transcripciones. Es posible que, en ese afán por alcanzar una altura cada vez mayor, sus contemporáneos acabaran adjudicándole una denominación acorde con la altura del templo más elevado de la ciudad, que según sus habitantes pretendía alcanzar el cielo y a los dioses. Esta historia sería después recogida por los judíos cuando sufrieron el cautiverio en la ciudad, y de ahí procede casi con toda probabilidad el nombre con el que hoy la conocemos.

El templo debía ser grande y rico. Solo eso explica el que poco después del año 2100 a.C., el rey Shulgi de Ur lo saqueara de forma total cuando en una de sus expediciones conquistara la ciudad. Pese a ello, un siglo después, Babilonia ya había recobrado su esplendor de antaño. Ocupada por los martu hacia el año 2000 a.C., estos hicieron de la ciudad su capital, y la reconstruyeron y la embellecieron en la medida de sus posibilidades. Un siglo más tarde, era otro pueblo nómada el que tomaba el control de la ciudad. Los amorreos eran quienes, en este caso, se asentaban en ella, fundaban una dinastía de soberanos y la hacían también su capital. A pesar de los avatares, Babilonia seguía creciendo y desarrollándose como una ciudad mesopotámica que cada vez iba alcanzando mayor importancia.

La Babilonia de Hammurabbi: La cuna del Derecho universal

La historia de la primitiva Babilonia es una continua sucesión de pueblos que arrebataban la ciudad a sus anteriores propietarios: acadios, sumerios de Ur, martu, amorreos... El ciclo no iba a detenerse hasta un siglo después, en el XVIII a.C., cuando subió al poder el primer gran soberano de Babilonia, y uno de los más importantes de los que habían existido hasta entonces en el mundo: Hammurabbi.

Hammurabbi reinó entre los años 1792 y 1750 a.C., aunque las fechas exactas en estas épocas tan lejanas son difíciles de precisar, y existen otras cronologías diferentes a la que aquí citamos. Es conocido principalmente porque redactó un código de leyes, el cual mandó que se esculpiera sobre un monolito de diorita negra, de casi dos metros y medio de altura, que originalmente se situó en el templo de Sippar. En él se conserva una de las redacciones más completas del Derecho que poseían los pueblos mesopotámicos, y en general es considerado el código más importante del mundo antiguo.

Hammurabbi convirtió a Babilonia en la capital de su imperio, y en pocos años, la ciudad se convirtió también en la más poblada del mundo en su época. Desgraciadamente conocemos muy poco de la Babilonia de Hammurabbi. La mayor parte de sus restos se hallan en estratos arqueológicos muy bajos, que se encuentran por debajo del nivel actual que posee el agua subterránea de la zona. Eso impide que con los métodos actuales que habitualmente se emplean en la investigación arqueológica podamos saber cómo era la ciudad hace casi cuatro milenios, ya que resulta casi inaccesible al trabajo de los investigadores que en ella desarrollan su labor.

Tras la muerte de Hammurabbi, la ciudad siguió siendo durante más de un siglo una gran concentración humana en la que quizás podían llegar a vivir unas 60.000 personas. Así debió continuar hasta que, en 1595 a.C., los casitas la invadieron, y con ellos empezó su lento declinar, aunque todavía continuó siendo una gran concentración urbana durante varios siglos más. En el siglo XII a.C., las líneas maestras del urbanismo de Babilonia debían ser ya parecidas a las que conocemos

Parte superior del monolito en el que se encuentra grabado el Código de Hammurabbi. En ella se representa al dios Shamash entregándole al rey babilonio las leyes.

hoy. Pero en 1174 a.C. otro pueblo la saqueó. Los elamitas, procedentes de las montañas del nordeste, tomaron la ciudad y se llevaron de ella a Susa, su capital, todo aquello que estimaron de valor. Entre los objetos robados (que se encontraron en Susa en 1901) se hallan dos códigos de leyes, el ya mencionado de Hammurabbi, y otro que se atribuye al rey Naram Sin.

En 1124 a.C., un personaje babilonio, llamado Nabucodonosor, dirigió una insurrección contra los elamitas y los expulsó de la ciudad. Nabucodonosor tomó el título de rey denominándose como el primero con ese nombre. Poco duró la paz. Unos veinte años después, la ciudad sufrió un nuevo ataque. Esta vez fueron los asirios, que portaban armas construidas con un nuevo material, el hierro. El uso de este los hacía casi invencibles ante los pueblos de la región, que aún utilizaban sus armas de bronce, mucho menos duras y resistentes que las que empleaban los asirios.

Con tanta lucha y tanto ataque, la población declinó. Se calcula que hacia el año 1100 a.C., la población de Babilonia debía haber descendido a menos de la mitad de la que hubo en la época de Hammurabbi, aunque estas estimaciones siempre son cuestionables. Aun así, seguía siendo una de las ciudades del mundo con mayor número de habitantes, y en realidad nunca dejó de ser durante todo este tiempo una gran metrópolis, si la valoramos con los parámetros de esta época, ya que el número de sus habitantes debió fluctuar la mayor parte de las veces entre 40.000 y 50.000.

La crueldad y la venganza de los asirios

La primera dominación asiria fue breve. Pero varios siglos después, concretamente en el año 729 a.C., la nación asiria experimentó una nueva expansión, esta mucho más fuerte y terrorífica que la primera, ya que los asirios utilizaron una táctica militar que después sería copiada por desgracia por otros muchos pueblos, la del terror. Sus campañas militares se basaban en utilizar unos métodos extraordinariamente crueles con las poblaciones que no se rendían. Con ello, esperaban atemorizar tanto a sus enemigos, que se verían imposibilitados para defenderse y, de esta forma, se rendirían antes de que comenzaran las hostilidades.

Babilonia sufrió varias veces la furia asiria, aunque su actitud no fue la de resignación. Ocho años después de la conquista del rey asirio Teglatfalasar, Babilonia se rebeló contra su dominio bajo el liderazgo de Marduk Baladán. Durante diez años la ciudad volvió a ser libre, pero fue una paz efímera. En el 711 a.C., el rey asirio Sargón II se dirigió contra la urbe y la conquistó por tercera vez para Asiria. Sargón II apoyó el crecimiento de Babilonia, y durante más de veinte años esta volvió a ser la ciudad más importante de Mesopotamia. Pero el recuerdo de la antigua libertad pervivía aún de forma intensa entre sus habitantes, y de esta forma, en el año 689 a.C., se produjo una nueva rebelión contra los conquistadores asirios.

Los asirios no eran un pueblo que se caracterizase precisamente por su tolerancia y su comprensión hacia los territorios invadidos. Y esta vez su paciencia había llegado a su límite para con los díscolos babilonios. Ese mismo año, Senaquerib, el soberano asirio que ocupaba el poder, con el fin de evitar una nueva rebelión en el futuro, decidió darle un escarmiento tan severo a la ciudad que esta no lo volvería a olvidar jamás. La toma de Babilonia por Senaquerib dio paso a una venganza desmedida. El rey asirio ordenó que, como castigo, se demoliera el templo de Marduk y el antiguo zigurat del Esagila. La destrucción se extendió a otros edificios, y Babilonia fue despojada de buena parte de su antiguo conjunto monumental. Es más, en ese deseo de hacerle el mayor daño posible, Senaquerib hizo que se arrojaran los restos de los materiales de los edificios destruidos al canal de Arakhtu, para cegarlo y perjudicar aún más a la población de la ciudad. Fue un acto de crueldad innecesario, pero al rencoroso soberano asirio le pareció la mejor medida para hacer el mayor daño posible a la población.

Sin embargo, Babilonia tenía aún tal prestigio y tal importancia, que ni siquiera los deseos de venganza de un rey podían acabar con ella. Su situación, sus murallas, su población, su riqueza, e incluso su pasado histórico, eran todavía un motivo de prestigio y de orgullo para cualquier pueblo que la dominase. Por eso, el sucesor de Senaquerib, Asarhaddón, decidió solo ocho años después del castigo salvaje de su antecesor, iniciar la reconstrucción de lo destruido y así, la recuperación de Babilonia. Esta continuó también con su heredero, Asurbanipal, de manera que, a mediados del siglo VII a.C., Babilonia se había recuperado con una inesperada rapidez de la destrucción sufrida solo cuatro décadas antes. Se estima que en esta época su población podría volver a rondar los 60.000 habitantes, tantos como había tenido en sus tiempos antiguos de máximo esplendor.

Pero todos los grandes imperios acaban, más tarde o más temprano, llegando a su fin. Y Asiria no fue una excepción. Una serie de problemas

Escalinata por la que se accedía a la parte superior del zigurat de Babilonia.

internos, unidos a varias amenazas de carácter exterior, debilitaron de tal forma a los asirios que todo lo levantado a costa del sufrimiento de cientos de miles de personas se vino abajo de forma estrepitosa y rápida en el corto espacio de dos décadas.

Nabopolasar y la reconstrucción de Babilonia

En 626 a.C., un personaje llamado Nabopolasar dirigió una cuarta insurrección contra el poder asirio, aprovechándose de los problemas que aquellos tenían. Fue una decisión muy arriesgada, puesto que de haber salido mal, la subsiguiente venganza asiria podría haber provocado la desaparición definitiva de la ciudad, si la hubieran vuelto a tomar. Pero no fue así. Los asirios fueron perdiendo una batalla tras otra, acosados desde todos los frentes. La venganza de los pueblos humillados por ellos fue tan grande que prácticamente arrasaron su suelo y sus ciudades, hasta el punto de que estas desaparecieron para el conocimiento de la Historia durante más de dos milenios.

A lo largo de los veinte años que estuvo en el poder, Nabopolasar no solo derrotó por completo a los asirios, sino que también centró sus esfuerzos en continuar embelleciendo la capital de su reino, ahora que se había librado definitivamente de la terrible amenaza del norte. Para evitar nuevos ataques y disuadir a futuros enemigos, decidió construir una muralla mucho más poderosa que todas las que hasta entonces había contado la ciudad. A lo largo de un perímetro de ocho kilómetros y medio, se levantó un muro que en algunos lugares alcanzaba los 25 metros de altura, y que además contaba con un amplio foso

Dibujo en el que se muestra la reconstrucción del zigurat babilónico que con el tiempo sería conocido como la Torre de Babel.

de unos cincuenta metros, para disuadir a cualquier atacante que quisiera penetrar en la ciudad por la fuerza. Esta muralla constaba de ocho puertas para acceder al interior de la población.

Una vez realizada esta obra, Nabopolasar se centró en el embellecimiento interior de Babilonia. Inició la construcción de la maravillosa puerta de Ishtar, que aún se conserva en Berlín (ya que fue transportada allí por los arqueólogos alemanes que la encontraron a principios del siglo XX), ordenó la construcción del templo de Emakh, así como la restauración de muchos otros templos que habían sufrido daños durante la dominación asiria. Construyó un zigurat nuevo, y dio la orden para que se erigiera un imponente complejo palatino que sirviera como residencia para los futuros monarcas babilonios.

2

La Babilonia de Nabucodonosor: una de las grandes maravillas del mundo antiguo

Cuando en el 605 a.C. Nabopolasar murió, Babilonia se encontraba en plena efervescencia constructiva. La paz subsiguiente y la riqueza que se depositó en la urbe fue un atractivo para que miles de personas se dirigieran a ella a trabajar en las obras de reconstrucción, o para aprovecharse de la favorable coyuntura económica en la que esta se hallaba. Puede ser que en esa época la población hubiera crecido de forma muy importante, y que se acercaran a unas 200.000 las personas que se hallaban residiendo en Babilonia o en los barrios periféricos que estaban surgiendo en ese momento.

NABUCODONOSOR II, EL REY CONSTRUCTOR

A Nabopolasar le sucedió su hijo, que adoptó el nombre de Nabucodonosor II. Fue, sin duda, el soberano más importante de toda la Historia babilónica. Con él la ciudad alcanzó su máximo apogeo, hasta convertirse quizás en una de las ciudades más maravillosas e impresionantes que han existido en todos los tiempos.

Hay autores que afirman que Babilonia pudo llegar a ser la primera ciudad en la Historia en alcanzar el millón de habitantes, pero esto parece sin duda una exageración, ni incluso aunque se le agregaran todos los distritos exteriores y los barrios periféricos a la ciudad. Es posible que en su momento de máximo esplendor, hacia mediados del siglo VI a.C., superara los 350.000 habitantes, o que se acercara incluso a los 400.000, pero es difícil que superara esta cifra. En cualquier caso, se trataba sin duda de la metrópolis más rica y más importante del mundo de su tiempo, y su población solo fue claramente superada por la de Roma cinco o seis siglos después.

Sin embargo, la Historia ha conservado también una imagen distorsionada de Babilonia debido a la información que nos ha transmitido el Antiguo Testamento de la Biblia. Según las noticias que este da, Babilonia era un auténtico centro de perversión, de ahí que se la califique en ocasiones como la "Gran Ramera" o la ciudad de todos los vicios. Hay dos motivos para explicar esta mala fama. Por una parte, los judíos sufrieron entre el año 587 y el 538 a.C. (e incluso un grupo importante no pudo regresar a su tierra hasta casi un siglo después) un duro exilio y cautiverio en la ciudad, ya que, al negarse a pagar tributo a Nabucodonosor, Israel fue conquistada por los ejércitos del rey caldeo. Indiscutiblemente este hecho pesó negativamente sobre la opinión del pueblo hebreo, y esa opinión es la que la Biblia ha transmitido al resto de la humanidad. Por otra parte, es probablemente cierto que en determinados templos de Babilonia se practicaban ritos de la fecundidad, con el objetivo de favorecer la fertilidad del suelo y la de sus cosechas. Según parece, esos ritos consistían, entre otras cuestiones, en la práctica de relaciones sexuales entre las sacerdotisas de algunos templos y los fieles que realizaban donaciones a los mismos. Para un pueblo tan puritano como el israelita, con una moral muy estrecha y muy rígida, semejantes prácticas solo podían ser consideradas como auténticas aberraciones y depravaciones que ellos denigraban como algo degradante y pecaminoso. No obstante, la realidad es que Babilonia fue, por el contrario, una de las ciudades más tolerantes y cosmopolitas del mundo antiguo, y los judíos pudieron dedicarse en ella a sus negocios y a sus trabajos con mucha más libertad de la que probablemente gozaron a lo largo de su dilatada Historia. Es más, parece seguro que buena parte del Antiguo Testamento se redactó allí a mediados del siglo VI a.C., en pleno cautiverio babilónico.

La ciudad era un centro comercial y cultural en el que vivían personas de nacionalidades muy diferentes y que empleaban lenguas muy extrañas para comunicarse dentro de cada grupo social o étnico. De ahí también otra de las leyendas que rodean a la ciudad, la de la Torre de Babel. Según la Biblia, la erección de la misma obedecía a un intento por parte de los paganos de construir una torre tan alta (sin duda hacían referencia al gran zigurat de Etemenanki) que les permitiera llegar hasta el cielo, donde estaba la morada de Dios. La propia Biblia nos cuenta que Yahvéh decidió castigar a los pérfidos babilonios modificando la lengua común que se suponía que todos los seres humanos hablaban en un principio, dotándolos a cada uno de ellos con un tipo de lenguaje completamente distinto. De esa forma no se podrían entender y no progresaría la construcción que se

La construcción de la Torre de Babel
de Pieter Brueghel el Viejo, fue pintada en 1563.

estaba levantando en el centro de la ciudad y que, desde el punto de vista de los judíos, ofendía a su Dios.

La leyenda de la Torre de Babel está claramente relacionada con la variopinta composición étnica y lingüística de la ciudad. En ella cohabitaban caldeos, persas, asirios, griegos, amorreos, judíos, sirios, egipcios, árabes y, probablemente, gentes venidas de tierras muy lejanas como indios o incluso procedentes de civilizaciones del Extremo Oriente.

Babilonia, además, fue también el centro intelectual del mundo de su tiempo. Heredera de la larga tradición sumeria, que llevaba acumulando conocimientos científicos y de todo tipo durante más de tres mil años, la ciudad se convirtió en punto de referencia para todos aquellos que quisieran ampliar su saber, mejorar su formación e investigar sobre determinados temas. Ilustres griegos como Tales de Mileto (el fundador de la ciencia jonia), el matemático Pitágoras, o el ya citado historiador Herodoto, la visitaron y se formaron en sus archivos, bibliotecas y en sus centros de enseñanza. Sus conocimientos cambiaron el modo de pensar del mundo occidental del que desciende nuestra cultura, y buena parte de la misma, es por tanto, de alguna manera herencia babilónica.

En Babilonia se fomentó el conocimiento y el estudio de la arquitectura, de la medición con la creación del sistema sexagesimal (que todavía utilizamos para el cómputo del tiempo) de las matemáticas, pero sobre todo de la astrología (los horóscopos en los que tantas personas siguen confiando) y, en particular, de la astronomía. Aunque los nombres que le damos a los planetas son de origen romano, son a su vez una mera copia de la denominación que le dieron los griegos, que estos, a su vez, habían copiado de los babilonios. Así por ejemplo, el nombre del planeta Venus procede del que le dieron los griegos, pues lo dedicaron a Afrodita, la diosa del amor y de la belleza, cuyo origen se encuentra en la diosa Ishtar, "la más bella", que era la denominación que aplicaban los babilonios a la estrella de la mañana que más relucía, "el lucero del alba". Mercurio, Ares para los griegos, era el dios de la guerra, y el planeta rojo, color que simboliza la sangre y la guerra, recibía en Babilonia el nombre de Nergal, dios de la guerra. El único planeta que es visible todo el día, Júpiter, lo llamaron Marduk, su dios supremo. Este se convirtió en Zeus para los griegos, y Júpiter para los romanos, que es como lo conocemos actualmente.

Las murallas y la Puerta de Ishtar

En época de Nabucodonosor II, Babilonia llegó a constar nada menos que con tres recintos amurallados. El primero era el que su padre había construido y del que antes se ha hablado. El segundo corresponde a la ciudadela interior, el conjunto de palacios, templos y fortalezas que el rey construyó en el centro de la ciudad. Los restos nos muestran un cuadrilátero de unos 2.500 por 1.500 metros rodeado por una muralla elevada. La muralla era en realidad un sistema de muros dobles. El exterior se componía de ladrillos cocidos de gran calidad unidos con betún, formando un espesor de unos cuatro metros. Mientras que el interior de la misma, estaba construida de muros de adobe de casi siete metros de espesor. Pero según nos comenta el griego Herodoto, que visitó la ciudad unos cien años después de la muerte de

Nabucodonosor II, este había hecho construir una muralla gigantesca tan prodigiosa que cautivó la imaginación de quienes la visitaron. Según el historiador griego, esta muralla que tenía una forma triangular, medía nada menos que 120 estadios de lado, lo que daría un equivalente a unos 22 kilómetros, dentro de los cuales se protegía una superficie enorme. Pero estas cifras son verdaderamente difíciles de creer. Si hubiese sido así, ello daría lugar a una ciudad de tal tamaño, que es impensable que pudiera ser abastecida o protegida en relación a la población que debía albergar. Los historiadores tienden a creer que Herodoto exageró considerablemente las medidas, o bien a que sus datos hacían referencia al perímetro total de la muralla, que de esta forma correspondería a un triángulo aproximado de cuatro kilómetros y medio de lado, con una superficie interior de algo más de 1.000 hectáreas, e incluso hay arqueólogos que solo admiten una superficie en torno a 850 hectáreas aproximadamente.

La arqueología ha descubierto restos de esta muralla, y lo hallado parece estar en consonancia con esta segunda interpretación de los datos de Herodoto. Lo triste es que los ladrillos de la muralla debían ser de tal calidad que fueron saqueados durante los siglos siguientes, con el objeto de servir como materiales de construcción en otras ciudades que se levantaron, aprovechando los despojos en los que se acabaría convirtiendo Babilonia.

Los datos que nos ha transmitido el escritor griego siguen causando asombro y son difíciles de aceptar. Según él, la muralla tenía unos 100 codos de altura, es decir, poco más de 50 metros, algo que no es fácil de creer. Probablemente, en opinión de los arqueólogos, los muros no debían de superar los 25 metros, aunque esto no se puede comprobar debido a su casi total desmantelamiento. Su anchura era de 50 codos, que equivalen a unos 27 metros, lo que debió suponer un gigantesco acarreo de materiales para su construcción, de ser verdad estas cifras. Según el mismo Herodoto, la anchura que poseía el camino de ronda que había en la parte más elevada era tan grande, que una cuádriga o carro tirado por varios caballos podía recorrerla sin problemas en su parte superior, incluso en los lugares donde formaba una especie de codo. Esta muralla se completaba además con un foso exterior de entre 80 y 100 metros de ancho y poseía además un nuevo recinto defensivo de siete metros de grosor, que le confería el aspecto de una triple fortificación vista desde los alrededores.

Son casi con toda seguridad exageraciones. Las excavaciones arqueológicas emprendidas en el siglo XX no han podido corroborar estos datos con total veracidad, pero hay algunos restos que sin ser tan enormes como los describían en la antigüedad, demuestran que Babilonia ocupa sin duda un lugar excepcional en la historia de las ciudades. Por ejemplo, la puerta de Ishtar, una de las trece grandes puertas de acceso con que contaba la ciudad, fue descubierta hace un siglo por el arqueólogo R. Koldewey, y este comprobó asombrado cómo poseía una altura de 27 metros y unos cimientos de quince metros. En el Museo de Pérgamo de Berlín, se encuentra una reproducción reducida de la misma que, aun así sigue causando asombro y admiración, tanto por sus dimensiones como por su riqueza decorativa. Estaba realizada con ladrillos vidriados con un esmalte de color azul intenso, de una calidad asombrosa. También constaba de decoración en forma de *dragones* en rojo y blanco, y relieves de toros. Por desgracia,

Reconstrucción de la Puerta de Ishtar tal y como puede contemplarse actualmente en el Museo de Pérgamo en Berlín. En realidad las medidas eran bastante mayores que las que muestra la reconstrucción.

esta misma calidad ha evitado su conservación, ya que el expolio al que han sido sometidos estos monumentos a lo largo de muchos siglos ha acabado con casi todos ellos.

La ciudad más monumental del mundo antiguo

Tras pasar por la puerta de Ishtar se accedía a la gran avenida de las Procesiones, la calle principal de la ciudad, flanqueada a ambos lados de la misma por muros de ladrillo con relieves de leones y con otros tipos de decoración, así como con 120 estatuas que representaban a este mismo animal. La avenida de las Procesiones articulaba el espacio viario de la ciudad, y a ella accedían otras vías o avenidas de menor tamaño e importancia, formando una red estructurada mediante ejes perpendiculares entre sí. Estaba pavimentada y enlosada en todo su recorrido. Se utilizaba, entre otras funciones, para transportar las imágenes de los dioses durante la Fiesta de Año Nuevo, de ahí su nombre. La muralla debió de descuidarse paulatinamente después de la muerte de Nabucodonosor II, y ello permitió que un cuarto de siglo después, en el año 539 a.C., los persas de Ciro II pudieran tomar la ciudad. Cuenta Herodoto que era tan enorme el tamaño de Babilonia que tres días después de la entrada de las tropas persas, todavía había personas que no se habían enterado de la conquista de la ciudad por las tropas de Ciro.

Por su parte, el complejo de edificios que constituía el palacio de Nabucodonosor II debía tener también unas dimensiones impresionantes, pues se calcula que la superficie del mayor de todos los palacios debía ocupar más de 52.000

metros cuadrados, con unas medidas de 322 metros de largo por 190 de ancho. La habitación más suntuosa del mismo, el enorme Salón del Trono, que era donde el monarca recibía a las delegaciones extranjeras, tenía forma cuadrangular y poseía unas dimensiones de casi setenta metros de lado. La superficie de todos los palacios era mucho mayor, se estima que sus medidas eran de unos 500 por 400 metros, y estaban edificados en la colina más elevada de la ciudad. Dentro de los mismos, existían seis grandes patios. En el interior de este complejo palatino, concretamente en el patio situado al norte de los palacios, los arqueólogos hallaron restos de construcciones que debieron estar en su tiempo cubiertas con plantas y con tierra, según demuestran los restos encontrados. En este recinto se descubrió también un complejo sistema de esclusas y de palancas, que sin duda servía para facilitar la conducción del agua destinada al riego artificial de árboles y de flores. El agua se almacenaba en depósitos elevados desde los cuales se abastecía a todo este sector.

Según la leyenda, Nabucodonosor se había casado con una princesa de origen medo de nombre Amytis. Esta echaba de menos las montañas de su patria, siempre verdes y repletas de árboles y de frondosa vegetación. El rey, para complacer a su esposa, decidió regalarle un jardín tan hermoso que le recordara a la tierra que había abandonado. De esta forma se procedió a la construcción de los famosos Jardines Colgantes de Babilonia, que quizás se ubicaron en el espacio del palacio que se describió anteriormente. Mucho se ha especulado sobre estos posibles "Jardines Colgantes". El nombre parece hacer referencia a los diferentes pisos o niveles en los que las terrazas o parterres se desarrollaban. Quizás la palabra "colgante" esté en relación con las plantas que caían desde los niveles superiores a los inferiores, dando la sensación de que, en efecto, vista a distancia, la vegetación quedaba colgada o suspendida en el aire.

Otros arqueólogos han puesto en duda la afirmación de su existencia, o al menos cuestionan que las estructuras que se han hallado correspondan a los mismos. Pero las fuentes clásicas hicieron referencia a este hecho insistentemente, hasta el punto de que en el siglo III a.C. fueron considerados como una de las Siete Maravillas más importantes del mundo de su tiempo. Y probablemente en aquella época ya deberían haber desaparecido casi en su totalidad, pero su recuerdo se mantenía todavía en la mente de las personas que los vieron o que leyeron sobre ellos, lo que les llevó a ser considerados como el monumento más destacado en una ciudad llena de obras de arte y de suntuosas construcciones, por lo que se estima que debían de ser en verdad algo realmente excepcional.

Para completar esta visión asombrosa de la urbe, las fuentes clásicas aseguran también que Nabucodonosor llegó a ampliar y a embellecer los más de 1.100 templos que existían en la ciudad. Las cifras, como siempre, nos hacen dudar, pero todo en Babilonia parecía gigantesco e impresionante.

De todos los templos, el que era más importante sin duda es el que conocemos con el nombre de Esagila o Esagil. En él se ubicaba el lugar de culto del panteón de los dioses babilonios, y en especial el del principal dios de la ciudad, Marduk. El templo estaba situado un kilómetro al sur de los palacios reales. Tenía unas dimensiones

Recreación artística de los Jardines Colgantes. En realidad el dibujante ha dejado volar su imaginación, ya que no se ha encontrado ningún resto que pueda ser atribuible con total seguridad a lo que fue una de las grandes maravillas del mundo antiguo.

de 86 por 78 metros, con 2 patios exteriores de 116 por 90 metros. En su sala principal, de cuarenta metros de largo por veinte de ancho, se conservaba la estatua de oro del dios Marduk. Si hacemos caso a la información de Herodoto, se trataba de la mayor estatua construida durante todos los tiempos en este raro metal, pues según nos informa el historiador griego, su peso alcanzaba la asombrosa cifra de 22.000 kilos, es decir, cuatro veces más que la estatua más grande que existe actualmente en ese precioso metal, la del Buda de Oro del gran templo de Bangkok en Tailandia, construida en el siglo XV, que pesa 5.500 kilos. Fue descubierto el templo en el año 1900, y en aquel momento estaba cubierto por más de 21 metros de sedimentos procedentes de las inundaciones del Éufrates. Pero desgraciadamente tampoco se conserva casi nada de él, aunque las descripciones antiguas nos hablan de una riqueza deslumbrante.

Cerca de Esagila se encontraba el Etemenanki, edificación que corresponde al famoso zigurat o torre escalonada que la Biblia identifica con la ya tantas veces citada Torre de Babel. Su nombre, *Etemenanki*, significa en sumerio 'la Casa del Cielo y de la Tierra'. Su anchura y su altura eran de unos noventa metros, y constaba de siete cuerpos escalonados que a su vez se componían de un total de veinte pisos. En el último de los siete pisos se encontraba el templo propiamente dicho. Su elevada visión fue sin duda la que hizo reflexionar a los judíos sobre los planes impíos de alcanzar la morada celeste de Dios.

Maqueta en la que se muestra cómo debió ser hacia el siglo VI a.C. el famoso zigurat de Etemenanki al que la Biblia denominó con el nombre más conocido de "Torre de Babel".

Casi todos los dioses representados en el panteón de Esagila tenían otros templos repartidos por toda la ciudad. El de Ishtar estaba situado en el barrio de Merkes, al este del zigurat. Las casas de este sector estaban construidas con un claro sentido de la simetría, y formaban calles que, en la medida de lo posible, tendían a ser rectas. En su interior predominaba un tipo muy homogéneo de casa, con un patio abierto en torno al cual se desarrollaba la vida familiar, y poseía además un amplio recibidor de entrada a la misma. Esta tipología se repite constantemente en la mayor parte de las viviendas babilónicas.

Nabucodonosor II mandó construir otros dos grandes palacios-fortalezas, situados al norte y al sur de la ciudad, a los que se dio el nombre de palacio de verano y de invierno. Se encontraban a unos tres kilómetros el uno del otro. El que estaba más al norte era una gran torre defensiva con unos muros ciclópeos de 25 metros de anchura, pero el meridional era realmente un auténtico museo, ya que en él se conservaban los trofeos arrebatados a los enemigos. Así sabemos que en el mismo había estelas hititas, estatuas procedentes de la ciudad de Mari, relieves de Nínive, etc. En este mismo palacio, y protegida por una fortificación enorme, se hallaba la cámara del tesoro real, en la que sin duda debió haber también una riqueza sin parangón que se destinó a la construcción de esta maravillosa ciudad. En el barrio occidental se hallaba el gran puente que atravesaba el Éufrates. Tenía una longitud de 115 metros, pero de él solo se conservan actualmente siete pilares construidos en ladrillo cocido, con unas dimensiones de 21 metros de largo por 9 de ancho, lo que basta para darnos una idea del tamaño de esta vía de comunicación que ponía en contacto a través del río a ambas márgenes de la ciudad.

La enumeración de las maravillas de Babilonia podría continuar, sin embargo es preciso detenerse aquí para no hacer interminable la lista de casas señoriales, canales, mausoleos, teatros, ciudadelas, templos o puertas que se podrían citar.

No cabe la menor duda que para construir esta joya del urbanismo fue preciso hacer un gigantesco desembolso de dinero. Nabucodonosor II había heredado de su padre una economía boyante basada, entre otras cuestiones, en la sumisión de numerosos pueblos que le pagaban tributos y que él acrecentó considerablemente al engrandecer su imperio. La ausencia momentánea de enemigos potenciales en las cercanías de sus dominios, le permitió concentrar todas las inversiones en construir uno de los conjuntos urbanos más fascinantes de todos los tiempos. La abundante mano de obra gratuita en forma de esclavos, favoreció también sus proyectos megalómanos para engrandecer su capital desde todos los puntos de vista. Pero a pesar de todas estas coyunturas favorables, los gastos y dispendios que debió generar una actividad constructiva tan frenética terminaron endeudando gravemente a la Hacienda real. Durante casi noventa años, los que median entre 626 y 539 a.C., la ciudad no dejó de crecer y de engrandecerse. Pero tanto gasto suntuoso tenía que acabar pasando factura más tarde o más temprano.

EL SALVAJE CASTIGO DE LOS PERSAS A "LA GRAN RAMERA"

Tras la muerte de Nabucodonosor II se iniciaron los problemas, pues comenzó a abrirse una etapa de convulsiones políticas y religiosas tras la desaparición del gran rey. Esta crisis tenía que estar también motivada sin duda por los problemas de carácter económico que debían acarrear unos proyectos tan ambiciosos como los que se habían llevado a cabo. Tras unos años de inquietud, subió al trono Nabonido, el último de los grandes reyes del período que conocemos como neobabilónico. Pero Nabonido no era realmente un político, sino un historiador más interesado en descubrir el pasado que en gobernar el presente, lo que a la larga trajo consecuencias negativas. Para satisfacer su curiosidad investigadora, viajó por su reino buscando restos de antiguas culturas y procediendo a su estudio. Dejó en la capital a su hijo Baltasar para que se encargara del gobierno de la misma. Pero esto no satisfizo en absoluto a la casta sacerdotal dominante de Marduk, que consideró al rey como impío y sacrílego por abandonar la ciudad, aunque probablemente esta opinión negativa se difundió por no respetar y defender los privilegios de los sacerdotes tal y como estos deseaban.

En esas circunstancias, una facción de los babilonios insatisfechos con el gobierno de Nabonido entró en conversaciones con el rey persa Ciro II, que en aquellos momentos estaba creando un imperio de unas dimensiones desconocidas hasta entonces. Las dificultades internas habían propiciado que se debilitaran las defensas. Las murallas no habían sido mantenidas como hubiera sido menester, y cuando las tropas de Ciro pusieron cerco a la ciudad en el año 539 a.C., esta apenas si ofreció resistencia. Cuentan las crónicas que Ciro hizo trabajar a sus hombres en la tarea de desviar el curso del Éufrates, y cuando el río modificó su rumbo pudieron entrar sin problemas en el interior de la ciudad por el espacio vacío que había dejado el cauce del mismo al retirarse las aguas.

Ciro II fue un rey prudente y sabio, un excelente gobernante que era consciente de la grandeza y de la importancia de Babilonia. De él nos ha llegado una magnánima imagen desde los tiempos antiguos, si bien es verdad que esta misma imagen se debe en buena medida al trato tan favorable que se le da en la Biblia, ya que entre otras disposiciones adoptó la de permitir que los judíos volvieran libres a su tierra. No todos lo hicieron, pues muchos prefirieron seguir en Babilonia, donde habían medrado como comerciantes y con otros negocios florecientes, en el contexto de riqueza en el que se desenvolvía la ciudad.

Si Ciro fue consciente de preservar íntegramente a Babilonia contribuyendo a que siguiera engrandeciéndose y embelleciéndose, su hijo Cambises tomó una decisión más importante todavía, pues en el año 529 a.C. estableció la capital del Imperio persa en la propia Babilonia, renunciando incluso a las grandes ciudades desde las que hasta entonces se había dirigido el mismo. Pero pese a ello, otro grupo de babilonios estaba en contra de la ocupación persa y añoraba los tiempos de libertad de la época de Nabucodonosor II. Por eso, entre el año 525 y el 521 a.C., se produjo una primera rebelión antipersa, aprovechando que el rey se había marchado con sus tropas a conquistar Egipto. La rebelión no tuvo mayor trascendencia, y Babilonia se reintegró como capital persa en cuanto fue sofocada la insurrección, sin mayores problemas ni complicaciones. Pero la chispa de la libertad había prendido entre buena parte de sus habitantes, como ya sucediera en época de la ocupación asiria, y pocos años después, en el 519 a.C., estalló una segunda rebelión contra Darío I, el nuevo soberano persa. Esta rebelión dirigida por un tal Nabuc, tomó unas proporciones considerables, obligó a Darío a emplear a buena parte de su ejército contra su propia capital, y tras un breve asedio, la tomó, la saqueó y como castigo decidió arrebatarle el rango de capital, que a partir de entonces pasaría a detentar Susa, mientras que construía en Persépolis un suntuoso palacio en el que establecería su futura residencia imperial.

Estas dos primeras revueltas contra el poder persa no causaron grandes estragos en la ciudad, pero ya anunciaron lo que sucedería en los próximos siglos: Babilonia comenzaría a entrar en declive, y sus monumentos se irían arruinando paulatinamente. Un gran número de personas de toda raza y nación comenzó a abandonarla poco a poco, así, en el 517 a.C., unos 15.000 judíos la dejaron para regresar a Canaan, y otros muchos los seguirían en los años venideros. Pese a ello Babilonia seguiría siendo la ciudad más poblada y más rica del mundo durante varias décadas más, y los soberanos persas, aunque habían perdido la confianza en sus nuevos súbditos, siguieron manteniendo la riqueza y la importancia de la ciudad, ya que de esa forma obtenían también buenos ingresos por los impuestos que de ella recibían.

La ciudad podría haber mantenido durante bastante más tiempo su rango de preeminencia entre todas las del mundo antiguo, de no ser porque, en el año 486 a.C., y aprovechando la debilidad del mundo persa tras su derrota ante los griegos en las Guerras Médicas, los sacerdotes de Marduk, hartos del dominio extranjero, organizaron una nueva y más poderosa rebelión contra Jerjes I, el nuevo soberano persa que acababa de subir al trono tras la muerte de Darío.

Jerjes estaba preparando en esos momentos una expedición contra las díscolas ciudades griegas que habían derrotado sorprendentemente al ejército de su padre hacía pocos años, y cuando se encontró con este problema imprevisto (y con otros que por aquella misma época estaban surgiendo en Egipto), tuvo que renunciar a sus planes de castigo y de venganza contra los griegos para sofocar este nuevo levantamiento babilónico. Por ese motivo, su venganza contra la ciudad fue terrible. Jerjes no se conformó, como en ocasiones anteriores, con un ligero castigo contra los insurrectos. Por el contrario, se mostró despiadado y vengativo de forma muy cruel al igual que los asirios dos siglos antes. Sus ejércitos, en el transcurso de la toma de Babilonia, dañaron gravemente tanto al Esagil, como al Etemenanki. Jerjes ordenó también la destrucción de las gigantescas murallas para que estas no volvieran a servir nunca más como escudo protector de una nueva insurrección. Pero, sobre todo, el soberano persa castigó a la casta sacerdotal, expulsándola en su mayor parte de la ciudad, confiscándole los templos y saqueando todas las estatuas de oro que en ellos había, en especial la colosal y costosísima del dios Marduk, que sirvió para nutrir de oro a las arcas reales persas que se conservaban en Susa. Además, Jerjes impuso elevadísimos tributos a la ciudad, que la acabaron arruinando y empobreciendo. De esta manera, Babilonia fue perdiendo importancia, y durante muchas décadas permaneció casi paralizada sin atreverse a moverse contra los soberanos que la estrangulaban económicamente.

Su población empezó por tanto a decaer. A mediados del siglo V a.C. ya había numerosas personas que la estaban abandonando, pero aun así se calcula que en esta época todavía podían vivir cerca de 200.000 habitantes en la misma. No era ya probablemente la mayor ciudad del mundo, pero su tamaño y su monumentalidad debían de ser todavía respetables, a pesar de los castigos impuestos.

El asombro de los griegos: de Herodoto a Alejandro Magno

En este contexto, hacia el año 450 o 440 a.C., es cuando Herodoto debió de visitarla. Y a pesar de que ya había pasado su mejor momento, el historiador griego no pudo dejar de admirarla y de hablar sobre ella con un gran asombro, tal y como antes referíamos.

La evolución posterior de la ciudad fue la misma, de atonía y decadencia. Aun así, se hicieron algunas mejoras, por ejemplo el rey persa Artajerjes II construyó a principios del siglo IV a.C. un edificio con pilastras al que se conoce como la Apadana Palatina, pero la ciudad seguía en general paralizada e incapaz de moverse, atenazada por los elevadísimos impuestos que la asfixiaban.

De hecho, su postración estaba ya alcanzando niveles alarmantes, y así, durante el reinado de Darío III, hacia mediados del siglo IV a.C., ya había dejado de ser la ciudad más poblada de Asia occidental, si bien es cierto que en esta época Babilonia seguía siendo un centro cultural de primer orden, a pesar de la crisis en la que se encontraba. En el año 331 a.C. apareció en la región uno de los más grandes genios militares de la Historia, el macedonio Alejandro Magno. En su épica lucha contra el colosal Imperio persa, el gran Alejandro fue destruyendo una y otra vez a los ejércitos que el rey persa enviaba contra él. La más decisiva de todas las batallas que libraron ambos contendientes fue la que tuvo lugar entre Arbelas y Gaugamela, al norte de Babilonia. La lucha tuvo como resultado final la aplastante victoria de Alejandro, la vergonzante huída de Darío, y la entrada del conquistador macedonio en Babilonia, donde encontró refugiada a la familia del rey persa que este había abandonado en su precipitada huida.

Alejandro Magno no solo era un guerrero sin par, sino también un hombre culto gracias a las enseñanzas de su maestro Aristóteles, y estaba dotado además de un sentido de la Historia como no muchos soberanos han tenido a lo largo del tiempo. Comprobó que Babilonia estaba muriendo poco a poco, y se dispuso a revertir este proceso proclamándola capital de su imperio y ordenando la reconstrucción de la ciudad para que recobrase su antiguo esplendor. Era una tarea bastante difícil, pero para alguien con una capacidad colosal, como era la de Alejandro, esta labor no hubiera sido imposible en absoluto. Puso a miles de hombres a trabajar en la reconstrucción del templo de Marduk, así como en el conjunto del Esagil, pero Alejandro se caracterizaba por su ambición y por su deseo de dominar todo el mundo conocido y pronto abandonó Babilonia, dejando a hombres suyos de confianza al mando de las tareas reconstructivas. Durante los seis largos años que el macedonio permaneció recorriendo el Asia Central hasta la India, los trabajos ordenados por Alejandro se relajaron, incluso alguno de sus subordinados pensaron que había perecido en aquella lejana lucha a miles de kilómetros de la ciudad que era cabecera de su imperio. Las obras de reconstrucción llegaron prácticamente a paralizarse.

Sin embargo, Alejandro regresó al cabo de esos seis años. Consciente de la necesidad de afianzar los lazos entre persas y griegos, obligó a que miles de sus hombres contrajeran matrimonio con mujeres persas. La multitudinaria ceremonia tuvo lugar en la propia Babilonia. Era una forma de buscar una unión de todos sus súbditos que quizás hubiera dado los frutos apetecidos de haber sobrevivido más tiempo el conquistador. En el año 324 a.C. murió Hefestion, uno de los mejores amigos de Alejandro. Este ordenó derribar una parte de la muralla babilónica para con los materiales de allí obtenidos construir una enorme pira funeraria en la que cremar al cadáver de su compañero. Los restos de estos ladrillos calcinados fueron hallados 2.200 años después por los arqueólogos, quizás en el mismo sitio en el que Alejandro ordenó que se depositaran.

Los gigantescos proyectos de Alejandro se vieron truncados con su prematura muerte, cuando aún no había cumplido los 33 años. Toda su obra se derrumbó inmediatamente, y entre ella, la que afectaba a su afán de recuperar la grandeza babilónica. No solo no se continuaron realizando sus proyectos, sino que por el contrario la situación de Babilonia empeoró. Los herederos de Alejandro, los llamados diádocos o sucesores, se embarcaron en una serie de guerras entre ellos para ver quién se quedaba con las partes más importantes del imperio alejandrino. Babilonia quedó en medio de esas luchas, y en los enfrentamientos subsiguientes la ciudad volvió a sufrir nuevos daños en sus edificios.

Uno de los generales de Alejandro, llamado Seleuco, consiguió hacerse con el control de Mesopotamia, y una de sus primeras ideas cuando hubo conseguido esto fue la de restaurar otra vez la antigua grandeza de la ciudad. Al menos desde un punto de vista cultural, pues Babilonia por su tradición, monumentalidad, y ser centro del poder religioso y lugar de reunión de intelectuales y de sabios de esta época, gozaba aún del prestigio necesario para que Seleuco la siguiera considerando como digna de seguir siendo su capital. Pero las luchas recientes la habían acabado de llevar a un estado en el que la reconstrucción era enormemente costosa y difícil. Por ello, a finales del siglo IV a.C., Seleuco decidió construir una nueva ciudad que le sirviera como capital. La nueva ciudad tenía además la ventaja de que podría llevar el nombre del monarca, con lo cual esto le daría más prestigio ante sus súbditos. De esta forma, Seleuco fundó Seleucia del Tigris.

La construcción de Seleucia fue la causante definitiva de la decadencia babilónica. Se aprovecharon los edificios arruinados de la capital de Nabucodonosor II como cantera de materiales para ser llevados hasta Seleucia y que las construcciones de esta progresasen rápidamente. Por si no era poco la aniquilación física de Babilonia, los descendientes de Seleuco completaron la labor despoblándola de habitantes. Así, en el 275 a.C., Antioco I decretó que los habitantes que quedaban en Babilonia se instalaran en Seleucia. Esta migración forzada tuvo como consecuencia que al paulatino despoblamiento babilónico siguiera la conversión de Seleucia en una de las ciudades más pobladas del mundo de su tiempo. Aun así, Babilonia dio todavía un último destello de su gloria cultural con la figura de uno de los mayores historiadores de la antigüedad, el sacerdote Beroso, que escribió una Historia universal a mediados del siglo III a.C. Desgraciadamente, esta obra magna que remontaba la Historia de la humanidad 432.000 años atrás se ha perdido, aunque por las citas que se conservan de ella y por la admiración que suscitó entre sus contemporáneos debió ser uno de los mayores monumentos que se han escrito sobre la ciencia histórica en todos los tiempos.

Y es que pese a su decadencia irremediable, Babilonia seguía siendo uno de los grandes centros religiosos del mundo de su tiempo, a pesar de que en todos los demás aspectos ya no quedaba casi nada de su antigua grandeza.

LA MALDICIÓN DE BABILONIA Y LA PÉRDIDA DE SU RECUERDO

Un siglo después de Beroso, tenemos noticias de que todavía se seguían practicando sacrificios en los restos que quedaban del templo de Marduk. Por esa época, a mediados del siglo II a.C., algunos ciudadanos de origen griego volvieron a establecerse entre sus ruinas y construyeron un teatro, un gimnasio y una biblioteca, y se asentaron en un pequeño barrio residencial. Sin duda, este último canto del cisne se hizo a expensas de la gran cantidad de ruinas y escombros en los que se había convertido la ciudad, los cuales todavía tenían la utilidad suficiente para ser reaprovechados.

Poco tiempo después de la instalación de esta pequeña colonia griega, Babilonia cayó en manos del rey parto Mitrídates I, quien se encontró la ciudad prácticamente destruida salvo el pequeño sector en el que se habían asentado temporalmente los griegos. Mitrídates, consciente del peligro de un ataque seléucida, transformó los restos del palacio de Verano de Nabucodonosor en una fortaleza con la que proteger lo poco que quedaba en pie. Y para borrar la huella griega, edificó sobre el teatro un templo zoroástrico.

A pesar de su desolación y decadencia, Babilonia seguía conservando el aura de la grandeza de antaño, lo que a su vez fue la causa definitiva de su desaparición, porque tanto seléucidas como partos, como los árabes posteriormente, lucharon por su control con denuedo entre los años 170 y 120 a.C. El resultado de estas continuas batallas y del trasiego de mano en mano de lo que quedaba de la antigua urbe acabó por hundir totalmente los escasos restos que aún se conservaban en pie.

Hacia el año 24 a.C., el geógrafo griego Estrabón señalaba que la antigua Babilonia estaba en aquella época completamente vacía, y que lo único que quedaba en pie de ella eran algunas partes de sus ciclópeas murallas. Pese a ello, todavía se conserva una inscripción datada en el año 9 a.C. en lengua sumeria que se halló entre sus ruinas. Es la última inscripción que se encuentra en esta lengua, que sin duda ya casi todo el mundo había olvidado, pero que sin embargo conservaban en sus escritos los sacerdotes sumerios, de forma algo parecida a lo que aún sucede con el latín en la Iglesia católica.

Trabajos de excavación en las ruinas de Babilonia en los primeros años del siglo XX.

Entre tanta desolación, los partos aprovecharon todavía algunos restos de los materiales de sus edificios, y así, a mediados del siglo I d.C., gracias a que existía aún un pequeño tráfico comercial, aquellos llevaron a cabo la erección de un edificio con columnas entre las ruinas del Esagil. Es más, poco tiempo después, el naturalista romano Plinio el Viejo (que vivió entre los años 23 y 79 d.C.) nos da noticias de que en este edificio todavía se practicaba algún tipo de culto a los antiguos dioses babilónicos.

Y de esta forma, hacia el año 75 d.C. se escribió también el último documento cuneiforme que se ha hallado datado con su correspondiente fecha. Era otro síntoma más de que con el fin de Babilonia también moría una parte de la Historia de la humanidad. Por esta fecha, la colonia comercial parta fue trasladada a Ctesifonte, su nueva capital: otro ejemplo más que nos habla de la desaparición de la vida en la antigua Babilonia.

Cuando el emperador romano Trajano visitó la zona con sus ejércitos, en el curso de su campaña contra los partos, entre el 115 y el 117, no encontró ningún vestigio que le permitiera ya reconocer la ciudad, y solo contempló un montón de ruinas que estaban siendo sistemáticamente expoliadas por campesinos de los alrededores que las utilizaban para construir o reparar sus viviendas en las cercanías. Ochenta años después fue otro emperador romano, Septimio Severo, el que atravesó el lugar en el que se encontraba la ciudad. Los cronistas que lo acompañaban dejaron constancia de que, donde antes había existido la ciudad más hermosa del mundo, ya no quedaba ni un solo alma habitando entre sus irreconocibles ruinas, hasta tal punto había llegado la degradación y destrucción de la antigua metrópolis.

Es más, se perdió incluso el propio nombre de la ciudad, que fue mencionada por última vez por un tal Zósimo y por Luciano, a comienzos del siglo III, que habían acompañado al emperador Severo en su campaña contra Ctesifonte. Hasta tal grado llegó su olvido que incluso su nombre desapareció durante mucho tiempo. En el siglo X, un historiador musulmán, Ibn Hawqual, visitó la zona y reconoció las ruinas, pero ya no sabía decir a ciencia cierta a qué ciudad de la antigüedad habían pertenecido. Un siglo después, se construyó una humilde aldea sobre sus restos, que recibió el nombre de Al Hillah, y que se mantuvo durante varios siglos hasta que los arqueólogos llegaron allí buscando las ruinas babilónicas. La única noticia que tenemos de estos tiempos medievales sobre la ciudad es que, en el siglo XII, el rabino de origen navarro Benjamín de Tudela visitó el lugar para tratar de localizar en él el templo de Nabucodonosor, pero muy probablemente este, como el resto de la ciudad, estaba ya cubierto por varios metros de sedimentos, tal y como se la encontraron los arqueólogos seis siglos después.

En 1616, un erudito italiano, Pietro della Valle, volvió a mencionar por primera vez en muchos siglos el nombre de Babilonia y habló sobre su posible emplazamiento. Y, ya a finales del siglo XIX, una misión arqueológica alemana al mando del arqueólogo Robert Koldewey, excavó en el lugar donde se hallaba Al Hillah, y tras profundizar varios metros en el subsuelo, empezó a encontrar los escasos restos que aún se conservaban de la que fue una de las ciudades más maravillosas de la Historia. Su recuperación, sin embargo, sigue llena de incógnitas, ante la inestable situación que vive esta parte del mundo durante las últimas décadas.

Trabajos de excavación de Babilonia a principios del siglo XX por Robert Koldewey.

3

La civilización urbana del antiguo Egipto en el valle del río Nilo. Tebas: una capital faraónica

Hace unos cinco mil años, la civilización egipcia daba sus primeros pasos en el valle del río Nilo. Se trataba de la culminación de un proceso evolutivo que había comenzado varios milenios atrás, y que en aquella época estaba cristalizando en la formación de uno de los estados más importantes de la Historia: el antiguo Egipto de los faraones.

Por esa época, la civilización egipcia estaba experimentando un desarrollo que solo tenía comparación en otro lugar del mundo, Mesopotamia. Pero Egipto poseía dos grandes ventajas que esta no tenía, estaba aislado de otros pueblos belicosos que lo rodeaban, gracias a los mares y a extensos desiertos, y contaba también con el agua del mayor río que existe en el mundo en cuanto a longitud: el Nilo. Este garantizaba no solo el suministro hídrico a las personas que vivían en sus orillas, sino también una cosecha segura gracias a los fértiles limos que depositaba en las zonas que inundaba, periódicamente, una vez al año.

Este hecho conllevó un extraordinario desarrollo de las poblaciones que junto a él se asentaban. Hacia el año 3000 a.C., semejante proceso estaba iniciando su apogeo. Ello tenía como consecuencia que no solo crecieran espectacularmente los núcleos urbanos que ya existían, sino, sobre todo, que se crearan nuevos asentamientos donde cobijar a una población en constante aumento.

Waset y el templo del sol durante el antiguo imperio egipcio

En aquella época, la principal ciudad de Egipto era Menfis, la capital del reino. Al sur de Menfis, a unos 520 kilómetros río arriba, comenzó a formarse un asentamiento urbano pequeño, como era la mayor parte de los que por entonces surgían. Este asentamiento estaba estratégicamente situado, pues dominaba una fértil región del valle medio del río, relativamente próxima a la costa del mar Rojo, por el que los egipcios comerciaban con la península Arábiga y con otros pueblos del océano Índico.

La región también estaba muy próxima a la rica zona minera del desierto oriental, de donde los antiguos egipcios extraían considerables riquezas del subsuelo. Además, y para completar las bondades de su emplazamiento, la ciudad se encontraba a medio camino entre el Bajo Egipto y el Alto Egipto, ya que se ubicaba a unos 200 kilómetros al norte de la primera catarata del Nilo, tras la cual se encontraban las tierras de la remota Nubia, que también aportaban su riqueza en diversas formas a Egipto.

La ciudad allí fundada recibió diferentes nombres a través de la Historia. En un principio parece ser que los antiguos egipcios la conocían como Nowe, o Nuwe, e incluso con el nombre de Niut. Estos nombres vienen a significar todos lo mismo, pues quieren decir simplemente 'la Ciudad'. Pero con el tiempo 'la Ciudad' se convirtió en la cabecera de todo Egipto, y entonces ya no bastó ese simple nombre. Comenzaron a llamarla Waset, o Uaset, según la transcripción que se haga. *Waset* significa 'el Trono', ya que en ella radicaba el trono sagrado para los egipcios, el del faraón. Por extensión, se aplicó el nombre de Waset a toda la provincia o territorio que dominaba directamente la ciudad.

La fama de Waset llegó a otros pueblos y culturas. Los israelitas, por ejemplo, la conocieron con el nombre de No-Amón, tal y como la citan en el Antiguo Testamento. *No* quiere decir en hebreo 'Ciudad'. Así pues, la conocían como la 'ciudad de Amón'. Varios siglos más tarde, fueron otros pueblos los que llegaron a la localidad. El más culto de todos ellos fue el de los griegos, y como nuestra cultura proviene esencialmente de la tradición griega, conservamos hoy día el nombre que le dieron a la ciudad. En un primer momento la llamaron Diospolis Magna, o la Gran Ciudad de los Dioses, por la cantidad de templos que observaron en ella. Sin embargo, no es ese el nombre que ha conservado en la Historia. Hacia el siglo VIII a.C., Homero escribió uno de los más importantes libros de la literatura universal, *La Iliada*, y en él se cita a la ciudad cantando su grandeza y su riqueza. Homero utiliza en su obra el nombre de Tebas.

Este nombre, Tebas, jamás se utilizó en la historia de los egipcios, entre otras cosas porque no existía nada que se llamase así, ni en Tebas ni en ninguna otra parte de Egipto. A uno de los sectores de la ciudad los egipcios lo llamaban Ta

Ipet Isut, nombre relacionado probablemente con uno de los templos que en él existían. A los griegos, el nombre abreviado de Taipet les recordaba al que se utilizaba para denominar a una de las de las grandes ciudades de la antigua Grecia, Tebas, y por comodidad lo adoptaron para referirse así a la gran ciudad egipcia. Homero la llamó "Tebas, la de las cien puertas", en honor a su grandeza y a los numerosos pilonos que daban acceso a la misma. De esa forma, pasó a formar parte del acervo cultural de la humanidad con el nombre de Tebas, con el que la seguimos conociendo hoy día, aunque ya tampoco se denomine así.

Tras su fundación, y durante los mil años siguientes, Tebas (llamémosla ya así definitivamente) prosperó como centro comercial, lenta pero inexorablemente. Hacia mediados del III milenio a.C., Egipto gozaba de una elevada prosperidad, debido a, entre otros motivos, la ampliación de las rutas comerciales hacia el sur. Tebas se encontraba estratégicamente situada en esas rutas, de ahí que su crecimiento fuera una consecuencia de dicho proceso. En ese momento, y en ese contexto de expansión urbana y económica, tuvo lugar un acontecimiento que marcaría decisivamente la posterior historia de la ciudad. Hacia el 2450 a.C., se fundó un conjunto de templos y de edificios sagrados en el sector conocido como Karnak al que se llamó Ipet Isut. Entre esas construcciones sacras destacó el llamado templo del dios Sol (Amón, para los egipcios), junto al cual se construyó uno de los primeros grandes obeliscos.

Hacia el año 2200 a.C., Waset o Tebas era ya un centro comercial destacado, aunque no todavía uno de los más importantes en el conjunto de Egipto. Pero por esa época se inició la primera de las grandes transformaciones de la historia de

Reconstrucción de Tebas en su momento de máximo esplendor.

aquel país. El Imperio Antiguo, la época de los grandes faraones constructores de pirámides, llegó a su fin, y se inició una nueva etapa a la que se conoce con el nombre de Imperio Medio.

La capital del Imperio Medio

Para Tebas, aquel cambio supuso una transformación importante. En el contexto de las convulsiones que el país experimentó en aquellos momentos, la ciudad se convirtió durante un tiempo en la capital del Alto Egipto, y entró en conflicto con los otros grandes centros de poder establecidos al norte, en particular con la ciudad de Heracleópolis.

Tebas comenzó a crecer, y ese crecimiento impulsó obras importantes, entre las que cabe destacar la de la ampliación del gran templo del dios Sol o de Amón, hacia el sur, hacia Luxor.

Para ello fue preciso arrasar gran parte de la ciudad antigua, pero de esta forma se estableció en la misma un centro sagrado de culto al dios más importante, culto que sería decisivo para el devenir futuro del núcleo urbano.

Hacia el año 2050 a.C. un emprendedor faraón, Mentuhotep II, llevó a cabo una nueva reunificación de Egipto y, para consolidar la misma desde un punto de vista religioso, propuso a su vez la reunificación de las dos grandes divinidades del reino, Amón y Ra, en una sola. Apareció de esta forma un nuevo dios, Amón-Ra, cuyo centro de culto se establecería en Tebas, ciudad en la que Mentuhotep centralizó su administración y su corte. El faraón decidió a su vez construir su tumba en la capital. Así, inició una tradición que llegaría a su máximo esplendor siglos después y que haría de Tebas, y de sus alrededores, una ciudad de renombre universal.

A la muerte de Mentuhotep II, en torno al año 2000 a.C., Tebas era ya una gran ciudad en la que se acumulaban riquezas y en la que el auge constructivo de sus templos y edificios estaba alcanzando cotas muy elevadas. Quizás en ese momento superaba los 50.000 habitantes, lo que la convertía probablemente en una de las urbes más pobladas del mundo. Durante doscientos años, y a pesar de los avatares de la historia egipcia, Tebas continuó creciendo. Sus templos seguían embelleciéndose y su población prosperando. En su momento de mayor auge en esta primera etapa, hacia el año 1800 a.C., se calcula que podía albergar ya a unas 65.000 personas.

Pero entonces sucedió algo que no tenía parangón en la historia de Egipto hasta ese momento: apareció un pueblo invasor proveniente del norte, el pueblo hicso, que se estableció durante cerca de dos siglos como dinastía dominante en Egipto. Los hicsos no destruyeron la civilización egipcia, pero sí la transformaron sustancialmente, y, al hilo de estas transformaciones, cabe citar el cambio que se produjo en la capital. Tebas perdió su importancia de antaño, y se fundó una nueva ciudad en el delta del Nilo. Los hicsos llamaron a esta capital Avaris, y pronto su crecimiento dejó en un segundo lugar a Tebas, que perdió así la primacía demográfica, y sobre todo la preponderancia política, que había conservado durante más de dos siglos. Aun así, la ciudad siguió siendo importante, si bien ya en un segundo plano. No obstante, los tiempos dorados de Tebas no habían acabado, por el contrario, estaban por llegar.

El apogeo durante el Imperio Nuevo: el Valle de los Reyes

Hacia 1570 a.C. apareció un nuevo personaje tebano en la historia, Ahmés o Ahmosis, ya que es conocido por ambos nombres. En pocos años, Ahmés lideró una insurrección contra los hicsos a los que expulsó pronto, y de esa manera fundó no solo una nueva dinastía, sino que dio paso a una nueva etapa en la historia del Antiguo Egipto, la que conocemos como el Imperio Nuevo.

Ahmés devolvió rápidamente la capitalidad a Tebas, e inmediatamente se puso a la labor de engrandecer la ciudad hasta no solo convertirla en la gran metrópolis que había sido en épocas anteriores, sino conseguir superar a la Tebas primitiva en tamaño y riqueza. Lo que él inició, lo culminaron con creces sus sucesores.

Tebas era perfecta para esa labor de control de todo Egipto. Su posición central, unida a las grandes riquezas existentes en la zona, hizo que fuera cobrando cada vez más importancia. Para asentar su dominio desde Tebas, Ahmés (o Ahmosis) decidió iniciar la construcción de un gran palacio real, el llamado palacio de Malkata, que sería la sede de los faraones sucesivos. Su importancia viene dada por lo que la palabra representa, y no solo por el hecho de la existencia del palacio en sí. La palabra *faraón* no significa en lengua egipcia rey o soberano, ni nada por el estilo. Proviene de la fusión de dos antiguas palabras egipcias, *Per* y *Aa*, que los griegos al escucharlas interpretaron como *Phar Ao*, o *Pharao*, de donde proviene nuestra palabra 'faraón', que quieren decir 'Casa Grande', en clara referencia al palacio donde vivían los soberanos. Para los egipcios, la 'Casa Grande', el 'Faraón', era el lugar donde residía su rey. Es algo parecido al término que utilizamos hoy día cuando por comparación empleamos las palabras la Casa Blanca, el Kremlin, el Eliseo, la Casa Rosada o la Moncloa, para referirnos al centro del poder, respectivamente, en Estados Unidos, Rusia, Francia, Argentina o España por citar algunos ejemplos.

Poco antes del año 1500 a.C., subió al trono uno de los grandes faraones del antiguo Egipto, Tutmosis o Tutmés I, que sería el responsable del gran auge de Tebas en los siglos siguientes, ya que con él se iniciaría el gran proceso de expansión y de embellecimiento que la convertiría en una de las grandes metrópolis del mundo antiguo. Tutmosis inauguró la costumbre de edificar templos cada vez más suntuosos y de mayores dimensiones, tendencia que fueron acrecentando con el tiempo sus sucesores. Para ello, inició la ampliación del antiguo templo de Amón hacia el norte, donde hoy se sitúa el barrio de Karnak. También dio los pasos para que al sur de la ciudad, en el sector que actualmente conocemos como Luxor, se iniciara la construcción de otro gran edificio dedicado a la divinidad. Estos dos templos fueron ampliados progresivamente por sus sucesores, hasta convertirse en los más magníficos y espléndidos que se vieron en el antiguo Egipto, y probablemente se encontraron también entre los más grandes y más ricos del mundo antiguo.

Con Tutmosis se inició también otra costumbre típicamente egipcia, la de dividir la ciudad en dos grandes zonas, la de los vivos, y la de los muertos. Para separar ambas, el faraón eligió el curso del ancho Nilo como límite entre una y otra. Mientras que la ciudad de los vivos crecía y progresaba, enfrente suya, en medio de grandes farallones y desfiladeros en pleno desierto, se construía la Ciudad de los Muertos. Esta consistía en un conjunto de templos destinados a rezar por el alma de los faraones fallecidos. Pero mucho más impresionante acabó siendo el conjunto de tumbas que, con el tiempo, aquí se construyó, con el objetivo de dar cobijo a los cuerpos de los mismos, rodeados de grandes riquezas y obras de arte para que le sirvieran en la otra vida como difuntos.

La idea de construir esta ciudad entronca con el deseo de los antiguos egipcios de proteger a los cuerpos de los fallecidos y de dedicarles todo lo necesario para la vida de ultratumba. La costumbre se había iniciado miles de años atrás. Las personas de gran poder económico o político eran embalsamadas, y la momia resultante se encerraba junto con sus riquezas en tumbas construidas con una gran complejidad, con el objeto de impedir que los ladrones pudieran saquearla. Pero todos los métodos ideados habían fracasado hasta entonces.

Incluso las gigantescas pirámides de Gizeh, cerca de Menfis, donde reposaban los cuerpos de Keops, Kefrén y Micerinos, habían sido violadas hacía varios siglos y sus riquezas saqueadas.

Tutmosis pensó que, ya que era imposible poner a salvo sus restos encerrándolos en una tumba gigantesca, se podrían poner más obstáculos a los ladrones si se enterraba en una tumba más modesta, pero que estuviera más apartada y oculta entre las rocas, y sobre todo, vigilada constantemente por unos guardias que preservasen sus secretos y su reposo. De esta forma, decidió apartarse de la civilización y que su cuerpo fuera enterrado en medio del desierto. En un lugar vacío y despoblado, donde una guarnición de hombres armados impidiera la llegada de cualquier saqueador que pudiera violentar su sepultura. Escogió el actualmente denominado Valle de los Reyes: un escarpado pasadizo con elevadas pendientes, alejado los suficientes kilómetros de Tebas como para no tener que temer ningún saqueo o destrucción si en algún momento la situación política o social cambiara. De esta forma, Tutmosis inauguró la tradición de que todos los cuerpos de los faraones se enterraran en un mismo lugar y que estuviesen vigilados y protegidos constantemente. Para que su obra fuera completa, decidió también construir el Valle de las Reinas, en el que recibirían sepultura tanto las mujeres de los faraones, como sus hijas.

Los Valles de los Reyes y de las Reinas albergaron así la mayor cantidad de tesoros y de riquezas que hasta entonces se había conocido. Y casi cabría extender esta frase a nuestra época actual, porque es posible que ningún cementerio a lo largo de la Historia haya almacenado en su interior tal cantidad de oro y de piedras preciosas como el que se construyó hace 3.500 años en un desolado paisaje desértico cercano a Tebas.

Estos tesoros se protegieron en cámaras ocultas, algunos a más de cien metros de profundidad. Pozos y corredores secretos convertían a aquellas tumbas en laberintos inexpugnables con el objetivo de despistar o acabar con la vida de posibles saqueadores. Grandes piedras de materiales muy duros cerraban las puertas de acceso a las cámaras reales. En algunos casos las tumbas llegan a tener más de 300 metros de galerías.

Cerca de sesenta faraones siguieron este sistema con el objetivo de escapar de los violadores de tumbas. Pero todos estos complejos trucos y trampas fracasaron en su intento de preservar el descanso de sus moradores. Quinientos años después de su construcción, todas ellas habían sido vaciadas de sus contenidos. Todas menos una, la de un oscuro faraón, del que casi nada sabemos, y que probablemente no gozó de gran poder en su vida. Sin embargo, su nombre es de dominio universal desde el momento en que en el año 1922 su tumba fue encontrada intacta, se trataba de Tutankamon. Cuando contemplamos las riquezas que aquella cámara albergó, y la comparamos con las que debieron guardarse en otras de antecesores o predecesores mucho más importantes, es inevitable que la imaginación se despliegue y piense en las maravillas que hemos perdido como consecuencia de la acción destructora de los ladrones de tumbas.

LA CIUDAD DE LOS TEMPLOS Y DE LAS CIEN PUERTAS

Los Valles de los Reyes o de las Reinas no fueron los únicos grandes complejos de la orilla oeste del Nilo en Tebas. Los reyes siguientes se encargaron de ampliarlos y de construir nuevas edificaciones, hasta crear uno de los conjuntos más maravillosos que la historia del arte ha contemplado. Hatsetsup, la sucesora de Tutmosis, levantó un templo en Deir El Bahari, muy cerca del Valle de los Reyes, así como dos gigantescos obeliscos de 35 metros de altura.

Esta costumbre de elevar altísimas 'agujas' (pues tal es el significado que en lengua griega tiene la palabra *obelisco*) de piedra estaba alcanzando su máxima expresión. Hacia el 1450 a.C., llegó incluso a construirse un obelisco con una altura de 42 metros y un peso estimado de 1.150 toneladas, pero era tal el tamaño y el peso del coloso, que acabó fracturándose en la propia cantera de donde se estaba extrayendo, antes incluso de que pudiera ponerse en marcha toda la maquinaría y el esfuerzo de miles de seres humanos para poder trasladarlo a su desconocido destino final.

La orilla occidental del Nilo siguió enriqueciéndose con nuevas aportaciones monumentales. Hacia el 1375 a.C., un faraón llamado Amenhotep III construyó su propio templo en este sector, y ordenó colocar dos grandes estatuas (que es prácticamente lo único que queda intacto en la actualidad de lo que debió ser aquel gigantesco recinto) a las que con el tiempo los griegos conocieron como los Colosos de Memnón. Una de estas estatuas tenía una característica que la convirtió en uno de los grandes atractivos turísticos de la antigüedad, haciendo que incluso fuese visitada por emperadores romanos muchos siglos después. Se trataba de que todos los días, al amanecer, emitía una especie de "canto". Mucho se ha especulado sobre la naturaleza de este canto y el motivo que lo provocaba, pero parece ser que estaba en relación con el tipo de material con el que se había construido, y quizás con el hecho de que al calentarla el sol, a primeras horas de la mañana, este aumento de la temperatura provocaba que el aire más frío, acumulado en su interior por la noche, saliera al exterior provocando al pasar por las rendijas y grietas que el coloso tenía, un ruido parecido a un canto que se dejaba sentir durante unos instantes.

Tenemos numerosas noticias de este "coloso cantarín" en tiempos antiguos, aunque hoy día ha perdido esta condición. Al parecer, su estado de conservación era tan malo, que en tiempos de Septimio Severo, hacia el año 200 d.C., una restauración rellenó parte de su interior, y a partir de ese momento el coloso dejó de emitir su canto matutino. Hoy día siguen existiendo las dos gigantescas estatuas, pero están tan degradadas, que es fácil entender por qué ya no emiten sonidos ni nada que recuerde a su pasada grandeza.

Por la época de Amenhotep III, Tebas debía encontrarse en el apogeo de su esplendor. Era, según cálculos recientes, una ciudad que podía albergar entre sus muros a unas 80.000 personas, lo cual era una cantidad enorme para una población hace unos 3.400 años. Debió de ser, casi con toda seguridad, la aglomeración urbana más grande de su tiempo, y probablemente siguió siéndolo durante varios siglos más. Pero en ese momento ocurrió un hecho un tanto extraño. Un nuevo faraón, Amenofis IV, más conocido posteriormente por Akhenaton, tomó una decisión

Los Colosos de Mennón son las gigantescas estatuas que quedan de lo que fue el enorme templo de Amenhotep.

sorprendente. Decidió adorar a un solo Dios, y no a todo el panteón egipcio, y para evitar la oposición de los sacerdotes tebanos de Amón, ordenó trasladar la capital del imperio egipcio a una nueva ciudad que se construyó por orden suya, Aketatón. Durante 13 años, miles de obreros trabajaron en la erección de este nueva capital imperial, cuyas ruinas se encuentran hoy junto a la actual Tell El Amarna, pero su proyecto fracasó. Akhenaton murió pronto, y los sacerdotes tebanos presionaron para que los nuevos faraones, entre los que se encontraba el ya mencionado Tutankamon, devolvieran la capitalidad a Tebas y abandonaran el proyecto de Amenofis.

Tebas volvía a convertirse de nuevo en la capital política y religiosa de Egipto, y aún llegarían mejores tiempos pocos años después. Hacia 1290 a.C., un nuevo faraón ocupaba el trono egipcio. Su nombre era Ramsés II, y ha pasado a la Historia como el más grande de los faraones constructores, hasta el punto de que la expresión "obra faraónica" ha simbolizado todo aquel intento de construir un complejo monumental gigantesco. Durante los 67 años que duró su reinado, Ramsés llevó a cabo obras que engrandecieron aun más si cabe la ciudad, hasta convertirla en la urbe que asombró a los egipcios y a los visitantes llegados de todo el mundo que la conocieron en siglos posteriores.

Ramsés II amplió las dimensiones de las murallas. Su perímetro alcanzaba los 22 kilómetros, según las referencias de la época. Para acceder al interior existían 100 puertas, según la leyenda que cinco siglos después recogió Homero. Si hemos de hacer caso al poeta griego, por cada puerta podían salir a la vez doscientos hombres con carros y caballos. No deja de ser una exageración sin duda, pero la descripción forma parte del intento de enaltecer la que era una de las ciudades más grandiosas de su tiempo. Sin embargo, la obra principal de Ramsés no se centró en unas poderosas murallas, sino en el engrandecimiento de sus ya grandes templos, hasta niveles desconocidos hasta entonces. A los templos de Montu, Mut, Opet, Khonsu y al templo de las Fiestas, que fueron construidos o ampliados a lo largo de su reinado, se unieron dos obras de enormes dimensiones, las que corresponden a la ampliación de los templos de Luxor y al de Karnak.

El templo de Luxor se encontraba al sur de la ciudad. En este templo, Ramsés II ordenó colocar un gigantesco pilono con dos obeliscos. En ellos se narraba una de las grandes victorias del faraón guerrero, quizás la mayor de todas, la batalla de Kadesh contra los hititas. Desgraciadamente de aquellos dos grandes obeliscos hoy día solo queda uno, ya que el otro fue transportado a mediados del siglo XIX hasta la plaza de la Concordia en París, donde actualmente puede contemplarse. Ramsés ordenó también la construcción de una gran avenida entre el sur y el norte de la ciudad, que enlazara el templo de Luxor con el mayor de todos, el de Karnak.

Karnak, por su parte, era en realidad un conjunto de templos y edificios sagrados, que se remontaba en aquel entonces a más de mil años de antigüedad. Los egipcios conocían a la zona como Ipet Isut, de donde ya vimos que quizás se derive el nombre deformado por los griegos de Tebas. Entre todas las construcciones, sobresalía el templo de Amón. Ramsés II se propuso dejar constancia de su grandeza ampliando el recinto sagrado hasta convertirlo en el mayor templo de toda la antigüedad. La parte más espectacular de

Dibujo del siglo XIX en el que se muestra cuál era el estado en el que se encontraba en aquella época el templo de Amón en Karnak (Luxor).

esta colosal obra fue la sala hipóstila de las columnas. Era la más amplia del mundo en su género, con una longitud de 103 metros y una anchura de 52 metros. El techo original, que en la actualidad ha desaparecido, estaba sustentado por 134 columnas de 24 metros de altura y cuatro de ancho. Los relieves que decoraban la sala se realizaron a lo largo de todo el siglo XIII a.C. Por supuesto, los soberanos que sucedieron a Ramsés continuaron embelleciendo y ampliando el templo durante los seis siglos siguientes.

Los grandes templos son sin duda las obras más conocidas de Ramsés en Tebas, pero su frenética actividad constructiva no se limitó a ellos. En la orilla occidental, en la que hemos denominado Ciudad de los Muertos, Ramsés quiso también dejar constancia de su grandeza. Allí construyó otro gigantesco templo, el Ramesseum, y amplió el palacio de Malkata, así como el puerto artificial que existía en la zona, el denominado puerto de Burket Habu. Se engrandeció también la red de canales para el regadío y se construyeron tumbas para los cortesanos del faraón, así como para oficiales del gobierno. La ciudad se hallaba entonces en su máximo apogeo.

LA LLEGADA DE LOS PUEBLOS EXTRANJEROS Y SUS SECUELAS: SAQUEOS Y DESTRUCCIONES

Pero el colosal esfuerzo constructivo de Ramsés II pasó factura a los egipcios de su tiempo. El faraón había consumido enormes cantidades de riquezas durante dos tercios de siglo, y probablemente dejó una herencia pesada a sus sucesores. Esto se complicó además por la llegada de un nuevo pueblo que invadió Egipto seis siglos después de que lo hicieran los hicsos. Conocemos a estos invasores con el nombre genérico de pueblos del mar, pues ello indicaba su procedencia para los egipcios.

Poco después del año 1200 a.C., los pueblos del mar irrumpieron en Egipto, atacándolo, destruyéndolo y saqueándolo allá por donde pasaban. Los egipcios les hicieron frente, pero eran incapaces de detenerlos, ya que los invasores portaban armas de hierro que derrotaban fácilmente a las de bronce que hasta entonces poseían los egipcios. Y en el supremo esfuerzo por detenerlos, se fueron debilitando, no solo ante los continuos golpes de estos invasores, sino también incluso internamente entre ellos mismos.

Tebas sufrió especialmente el ataque de estos pueblos. Hacia el 1150 a.C. su fortaleza se había debilitado tanto que el Valle de los Reyes fue prácticamente abandonado por la guarnición que lo custodiaba, y se convirtió de esta forma en codiciada presa de los propios faraones del momento, necesitados de riquezas con las que pagar a sus ejércitos. También lo fue de los sacerdotes tebanos, que no querían dejar escapar una oportunidad fácil de enriquecerse y, como no también, de los cientos o probablemente miles de ladrones que esperaban su oportunidad para hacerse con los tesoros allí enterrados desde hacía siglos. En poco más de medio siglo, todas las tumbas excepto una, la de Tutankamon, fueron saqueadas, su contenido expoliado y su interior abandonado y, con el tiempo, degradado casi hasta su destrucción.

Tebas perdía inevitablemente importancia y habitantes. Hacia el 1085 a.C., dejó de ser la capital de Egipto, pero aun así, en pleno declive, conservaría parte de su grandeza y de su población. Esta había descendido sin duda, pero todavía en aquella época podía oscilar entre 40.000 y 60.000 pobladores, a pesar de la decadencia en la que se encontraba. Hacia el año 950 a.C., una nueva dinastía extranjera se apoderó de la decadente ciudad, eran los libios, que bajo el gobierno de su rey Sheshonk avanzaron procedentes del sur y se establecieron en la ciudad. Sheshonk (o Shishak, según la Biblia) no fue un mal gobernante como se podría pensar. Por el contrario, se esforzó en mantener la grandeza de la antigua ciudad, e incluso llegó a rematar las obras finales de la sala hipóstila que Ramsés II había iniciado tres siglos antes. La ciudad languideció varios siglos más al amparo de nuevas dinastías extranjeras. Otros monarcas libios continuaron la labor emprendida por Sheshonk, y consiguieron que Tebas siguiera siendo una de las metrópolis más importantes que había en el mundo de su tiempo, pese a que su etapa de apogeo ya había pasado para siempre.

En esa situación se mantuvo la ciudad al menos hasta los comienzos del siglo VII a.C. En ese momento, Egipto se vio de nuevo invadido por un pueblo extranjero, los asirios. Entre el año 675 y el 671 a.C. el monarca asirio Asarhadón conquistó Egipto, y en el curso de esa conquista tomó a Tebas, que sufrió la pérdida de buena parte de sus riquezas, así como la destrucción de algunos de sus edificios más emblemáticos. Ese acontecimiento supuso el comienzo del fin. Tebas inició un declive del que ya no saldría. Dejó de ser la ciudad más poblada e importante del mundo y ese rango pasó a corresponder temporalmente a Nínive, la capital asiria. La situación empeoró mucho más cuando se produjo una rebelión contra los invasores asirios pocos años después. Para acabar con ella, el nuevo soberano asirio Asurbanipal decidió dar un escarmiento a los insolentes egipcios y puso de nuevo en marcha la poderosa y terrible maquinaria de guerra asiria.

Entre los años 665 y 661 a.C., Asurbanipal entró con su ejército a sangre y fuego en Egipto, arrasando todo cuanto se le pudiera oponer. Tebas se encontró precisamente en esta última tesitura. Su condición de capitalidad la había llevado a encabezar la insurrección, y la venganza que Asurbanipal se tomó con ella fue horrible. Tras la toma de la ciudad, el rey asirio decidió darle un escarmiento ejemplar. La saqueó mucho más eficientemente que su antecesor, hasta despojarla casi por completo de todas sus riquezas. Incendió buena parte de la urbe, lo que provocó la ruina de la mayoría de sus templos y edificios. Fue en ese momento cuando probablemente se derrumbó la techumbre y la mayoría de los templos de Karnak y de Luxor, de los cuales solo nos han llegado sus ruinas hasta hoy (que, aun así, continúan siendo impresionantes). Por supuesto, Asurbanipal no se contentó con castigar físicamente a los edificios de la ciudad, sino que sobre todo emprendió su venganza con los habitantes. Estos fueron esclavizados, deportados y enviados al exilio para su venta con el objetivo de que jamás retornaran a la ciudad. Y así fue, Tebas nunca se recuperaría de este durísimo castigo, y su grandeza fue decayendo poco a poco hasta casi desaparecer para nuestros ojos cuando la contemplamos dos milenios y medio después.

En cualquier caso, no era fácil aniquilar a una ciudad de la importancia de la metrópolis tebana. Tebas perdió todo su esplendor, pero era difícil arrasar un conjunto urbano de esas dimensiones, hasta el punto de que no hubiera nada que pudiera recuperarse siquiera levemente. Y en efecto, al poco tiempo, los asirios fueron expulsados otra vez de Egipto, esta de forma definitiva, y un nuevo soberano de gran capacidad subió al poder. Era Psamético I. Una de sus primeras órdenes, consistió en recuperar la ciudad tebana, en la medida de lo poco que era posible hacerlo en aquel momento. Psamético intentó restaurar las ruinas del templo de Amón, y algo consiguió con su esfuerzo, aunque ya no era posible devolverle su antigua grandeza.

Poco a poco, Tebas fue recuperándose ligeramente, pero de forma muy lenta. Su población comenzó de nuevo a crecer, aunque ya solo era una sombra de lo que había sido anteriormente. En el año 525 a.C., un nuevo pueblo invadió Egipto, eran los persas, y para variar, su soberano Cambises II atacó las ruinas de la ciudad con el objeto de llevarse todo lo que encontrara. No era mucho sin duda, pero el botín tampoco debió ser muy escaso tras el siglo y medio de paz que había gozado la ciudad. A lo largo del siglo siguiente, los egipcios se rebelaron contra los persas al menos tres veces, y en todas las ocasiones fueron derrotados. Tebas siempre apoyó a los insurrectos, y en cada una de las venganzas fue poco a poco más destruida y vejada.

En ese declive imparable, la ciudad tuvo, como suele ocurrir en estos casos, un destello de recuperación. En el siglo IV a.C., un rey egipcio, Nectanebo, decidió erigir una serie de esfinges en la avenida que unía los templos de Luxor y Karnak. Se intentó construir también un muro de unos dos kilómetros en torno al templo de Amón con el objetivo de protegerlo de futuros saqueos.

El declive tebano: la desaparición de la Tebas egipcia

Pero el tiempo, y con ello la decadencia tebana, no se detuvo. En el año 331 a. C. apareció en el valle del Nilo uno de los grandes conquistadores de todos los tiempos, el macedonio Alejandro Magno. El nuevo dueño de Egipto tomó una decisión que supondría la puntilla final para Tebas. Dio la orden de construir una nueva capital en el delta del Nilo a la que se impuso su nombre, Alejandría. Con el auge de la nueva ciudad, Tebas fue paulatinamente despoblándose y empobreciéndose más de lo que ya estaba.

Aún tuvo un último y fugaz protagonismo en la Historia, pero ya sería la conclusión definitiva a ese proceso de decadencia iniciado muchos siglos antes. En el año 88 a.C., los escasos pobladores que aún quedaban entre sus soberbios restos, se rebelaron de nuevo contra el soberano que mandaba en Alejandría, Ptolomeo VIII. Este decidió darle un severo escarmiento a la ciudad, y mandó una guarnición para que la tomara y la destruyera como castigo. Sin embargo, conquistar la ciudad no fue fácil. El ejército de Ptolomeo tardó tres años en conseguirlo, pero cuando lo hizo, su venganza fue la que se podía esperar. La sometió a un saqueo de una forma tan absoluta que destruyó lo poco que aún quedaba en pie, hasta que provocó su hundimiento y su ruina total.

Las ruinas de Tebas quedarían como una atracción turística para los viajeros que, en la época del Imperio romano, navegaban por el Nilo para ver la grandeza de los monumentos que todavía quedaban en pie. En el 27 a.C., un terremoto derribó casi todos los escasos edificios que aún se mantenían incólumes. Pero cuando el emperador

Adriano la visitó hacia el año 130 d.C., todavía pudo contemplar el canto del coloso de Memnón, tal y como lo venía haciendo desde hacía un milenio y medio. Fue la última noticia que recoge semejante acontecimiento. Unos setenta años después, al intentar su restauración, se taponó el orificio por el que emitía el misterioso canto, y este, como vimos páginas atrás, dejó de oírse para siempre jamás.

A partir de entonces, Tebas sirvió como cantera de materiales para otras ciudades y edificios. A partir del siglo IV, el cristianismo se fue imponiendo en el mundo romano y hasta el siglo VII los cristianos la tomaron como base de abastecimiento de materiales para la construcción de las iglesias que por aquel entonces comenzaban a levantarse. Ese expolio fue tan completo que hoy día no queda casi nada de su antigua grandeza, salvo los restos de sus gigantescos templos, que aún impresionan incluso desde sus ruinas. Si bien la mayor parte de lo que queda de la ciudad se encuentra enterrado bajo la actual Luxor, construida posteriormente sobre los escombros de la ciudad destruida.

4

Jerusalén: la ciudad santa, cuna de las tres grandes religiones monoteístas

La roca de Abraham, Isaac e Ismael

Una roca. Aunque parezca difícil de creer, la existencia de un pequeño y desgastado afloramiento calizo con una superficie de unos cinco por diez metros es uno de los principales motivos por los que, desde hace unos cuatro mil años, cientos de millones de personas veneran como una ciudad santa un lugar en medio del corazón de la hoy problemática región de Oriente Próximo

Las tres principales religiones monoteístas del mundo han rendido y siguen rindiendo culto a esta piedra que sobresale en la parte más alta del monte Moriá, ubicado en la ciudad que conocemos con el nombre de Jerusalén. Para unos, los musulmanes, esa roca es el lugar desde el que el más santo de sus varones, el profeta Mahoma, subió al cielo en el año 632. Para otros, los cristianos, fue en torno a ese espacio donde, hace unos dos mil años, su profeta Jesucristo vivió algunos de los acontecimientos más importantes de su corta vida. Para un tercer grupo, el más antiguo de todos, y del que se sienten herederos de una forma u otra los dos anteriores, los judíos, esa piedra fue el sitio exacto en el que el patriarca de todos ellos, Abraham, ofreció a su hijo Isaac (Ismael para los musulmanes) en sacrificio al Dios Yahvé, aunque este impidió finalmente que se consumara la inmolación.

Ese acto de entrega de Abraham, hace cerca de cuatro milenios, dio origen a las tres religiones anteriormente mencionadas, y por esa fe han luchado, rezado, perseguido o dado su vida miles de hombres y mujeres a lo largo de todo ese tiempo.

La piedra, a la que conocemos como la Roca del Sacrificio, se encuentra en la parte más elevada de Jerusalén, una ciudad que nunca llegó a ser la más culta, la más rica, la más poblada, o ni siquiera llegó nunca a tener un importante poder político, pero sin embargo, ha sido centro de la atención de las plegarias y objeto de peregrinación, como ninguna otra lo ha sido a lo largo de la Historia, con la excepción, quizá, de La Meca. Es sin duda, por todos estos motivos, la ciudad más sagrada y más santa de todas cuantas han existido y existen en el mundo, y sigue siéndolo hoy día, incluso en medio de las terribles convulsiones que afectan a este territorio en los últimos tiempos.

Abraham era de origen caldeo. Procedía de la ciudad mesopotámica de Ur, a la que ya conocemos, como al propio Abraham, por otra parte. Hacia el año 1800 a.C. (o hacia 1900, según otras fuentes), Ur había entrado, como ya sabemos, en crisis después de atravesar un floreciente período en siglos anteriores. En vista de la situación, Abraham reunió a su familia y decidió emigrar como tantas otras personas por aquel tiempo. Optó por marchar a otro lugar para buscar un sitio mejor, y en este recorrido fue guiado por la voz de su Dios, Yahvé, que dirigió sus pasos, después de muchas vicisitudes, hacia el lugar que hoy conocemos como Jerusalén. Llegado a este punto, Dios le pidió el sacrificio de su hijo, y este hecho dio pie a que la roca en el monte Moriá, sobre la que estuvo a punto de tener lugar la muerte de su primogénito, se convirtiera en el sitio por cuya posesión han luchado las tres grandes religiones del mundo occidental siglo tras siglo. Y aún continúan haciéndolo.

En aquella época, es decir, a comienzos del II milenio a.C., la zona debía estar prácticamente deshabitada. Sin embargo, los arqueólogos han encontrado allí, en tiempos recientes, restos de un pequeño poblado que se remonta a mediados del IV milenio a.C., es decir casi dos mil años anterior. Ese poblamiento se debe a que, muy cerca de ese punto, hay un manantial, llamado Gihon, que lleva abasteciendo a sus pobladores desde que se instalaron en el lugar. La zona no es muy fértil, ya que, un poco al sur de la misma, se encuentra el límite donde comienza el desierto, pero la presencia de agua, gracias al manantial, permite el asentamiento humano, los cultivos y la ganadería, de ahí que la ciudad creciera y prosperara con el paso de los siglos, aunque no demasiado desde un punto de vista económico.

El lugar en el que se ubica Jerusalén se caracteriza por una topografía con bruscos desniveles, rodeada como se encuentra por tres valles: el de Tiropeon o de los Queseros, el Cedrón y el Hinnon. Entre los dos primeros se ubica la colina de Ofel, que fue donde se inició el poblamiento de la zona. Esta colina se prolonga hacia el monte

Moriá, que se acabó convirtiendo en el lugar más sagrado de todos. Enfrente de la colina de Ofel se encuentra otro montículo al que conocemos hoy día como Monte de los Olivos. Debido a la ubicación de la ciudad entre varias colinas, su defensa resultaba relativamente fácil, de ahí que, gracias a esta seguridad, la continuidad del poblamiento prosperara.

Poco después de la llegada de Abraham, los jebuseos, que es el nombre que recibe el pueblo que habitaba en aquel lugar, decidieron construir un muro defensivo de tres metros de espesor en torno al poblado que ya existía para aumentar aún más su seguridad. Amurallar un espacio edificado era, de alguna manera, darle la categoría de ciudad al pequeño poblado, y como tal, toda ciudad necesita un nombre. Los jebuseos eran un pueblo cananeo que adoraban a un dios llamado Shalim o Shalem. Parece ser que, en honor del nombre del dios, la ciudad recibió el nombre de Uru Shalem, que significa `fundada por Shalem', del que se deriva el nombre actual de Jerusalén.

Nada se conserva de este primitivo poblado. Sin embargo, cuando hace tiempo se hicieron reformas en la actual iglesia de Santa María Magdalena, aparecieron restos de un cementerio de época jebusea. Esto confirmó el poblamiento existente en este lugar durante el II milenio antes de nuestra era. Jerusalén permaneció durante seis o siete siglos en manos jebuseas. Durante esta época, el pueblo de Israel, heredero de las creencias de Abraham, estaba viviendo dramáticos acontecimientos en otras partes del mundo. Habían sido sometidos a cautiverio en Egipto, y un líder, Moisés, los había sacado de aquel lugar después de numerosas dificultades. En su marcha hacia el norte, Moisés había recibido de su Dios

Yahvé las Tablas de la Ley en el monte Sinaí, y hacia el año 1200 a.C. había regresado a la zona en la que Abraham había vivido seis siglos antes, Israel, la Tierra Prometida.

Las Tablas de la Ley Mosaica, que conocemos con el nombre de los Diez Mandamientos, habían sido guardadas en un receptáculo de madera recubierto de oro al que se llamó Arca de la Alianza, pues simbolizaba la unión del pueblo de Israel con Dios. En el Arca se guardaron también una copa de oro, en la que se conservaba el maná que Dios les había mandado del cielo como alimento, y la vara de Aarón, con la cual su hermano Moisés había obrado diversos milagros ante el incrédulo faraón egipcio. El Arca era para los israelitas el símbolo del poder de Dios, y como tal debían conservarla y rendirle la máxima veneración, pues pensaban que en su interior se hallaba concentrado todo el poder divino.

Durante dos siglos, los israelitas convivieron en Canaan enfrentados a otros pueblos como los filisteos. Pero para triunfar en esta lucha era necesario unificar a las doce tribus que componían el pueblo de Israel, y para conseguirlo era preciso tanto la existencia de un líder que los aglutinase, como la de una ciudad que hiciera las funciones de capital y en la que se custodiara el Arca y los símbolos de la religión del pueblo israelita.

El rey David y el Templo de Salomón

Hacia el año 1000 a.C., ese líder apareció. Se llamaba David y su vida, rodeada de hechos legendarios, culminó con su proclamación como rey de Israel. David, hábil gobernante, comprendió la necesidad de poseer una capital que aunase

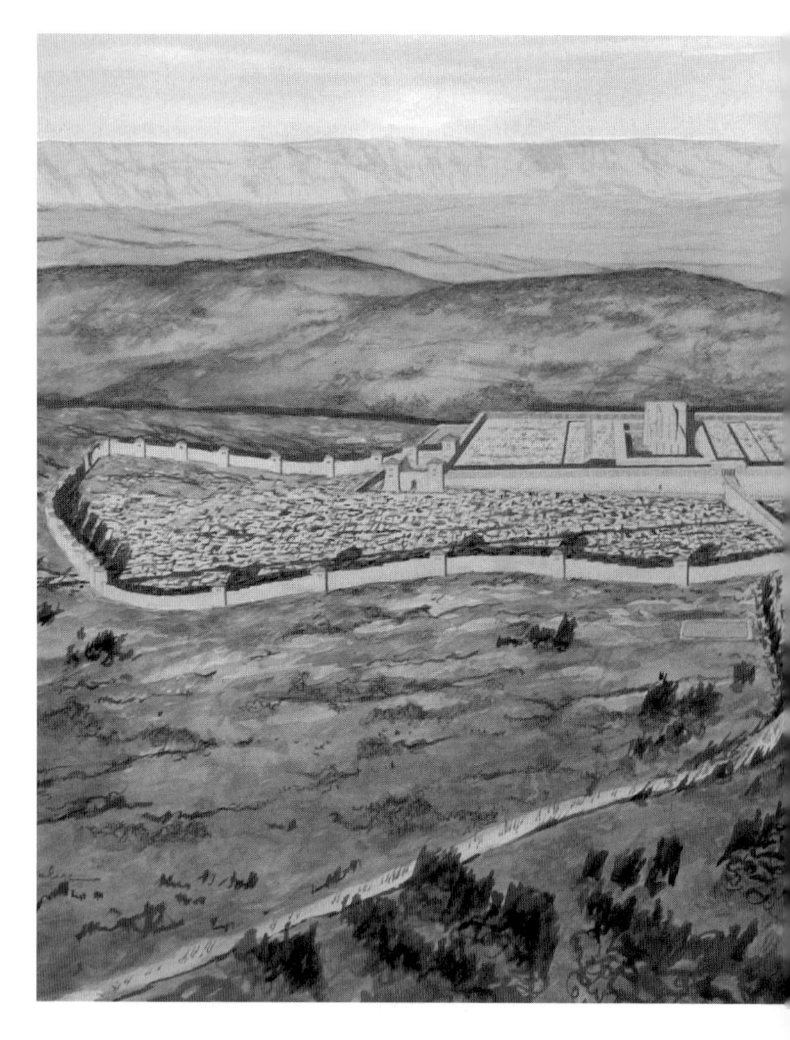

Vista aérea de Jerusalén tal y como debió ser en su momento de máximo esplendor. En ella pueden observarse las diferentes partes de la ciudad y la gran explanada del Templo.

los esfuerzos del dividido pueblo israelita, y tras analizar la situación, decidió que el lugar ideal era ese pequeño pueblecito en manos de los jebuseos. Jerusalén se hallaba situada en un territorio neutral entre las tribus del norte (Israel) y del sur (Judá), y además en ella se encontraba, según la tradición, el lugar en el que el patriarca Abraham había intentado sacrificar a su hijo, y por tanto, era el sitio donde había aparecido la mano de Dios en forma de ángel para evitarlo. Ese era el punto ideal para establecer una capital, pero había que conquistarlo.

David, hombre de armas, encontró la estrategia perfecta. El manantial de Gihón que abastecía a la ciudad se encontraba dentro de una cueva, y mediante un complicado sistema de acceso subterráneo era posible introducir a un pequeño regimiento que se internara dentro de la ciudad y abriera las puertas a los sitiadores. David organizó el plan, sus hombres penetraron en la cueva y después de avanzar por ella consiguieron acceder al interior de la ciudad, venciendo a los sorprendidos jebuseos y abriendo las puertas al ejército de David, quien a continuación ocupó la colina de Ofel y pronto empezó a ampliar el espacio habitado hacia el norte, en dirección al monte Moriá, donde tenía previsto conservar el Arca de la Alianza. Allí, sobre la piedra donde supuestamente Abraham había intentado sacrificar a Isaac ocho siglos antes, levantó un pequeño santuario en el que se tenía que custodiar el Arca de la Alianza. También inició la construcción de dos cisternas para garantizar el siempre escaso abastecimiento de agua, la de Siloé y la del Rey. La ciudad de David debía ser aún muy pequeña. Su superficie oscilaba entre 4 y 6 hectáreas, y su población probablemente no superaba los 1.500 habitantes.

David murió hacia el año 965 a.C. y le sucedió su hijo Salomón. Con él, Israel alcanzó su primer momento de florecimiento, y con esa riqueza también su capital creció de manera importante. Salomón se benefició de una época particularmente próspera para el comercio, pues las rutas que conectaban la costa fenicia con las zonas más ricas de la península arábiga, el reino de Saba, pasaban por Jerusalén. Salomón decidió controlar este comercio beneficiándose enormemente de sus ganancias. Este hecho hizo que afluyera una considerable riqueza a Jerusalén, y Salomón decidió emplearla en embellecer a la ciudad y edificar monumentos acordes con su grandeza, de manera que inició un ambicioso programa de construcciones en la misma.

Salomón ordenó que se ampliara la muralla hacia el norte, dotándola de dos nuevas puertas de acceso; de esta forma, el espacio urbanizado aumentó de las 4 o 6 hectáreas de David a 10 o a 17, según las hipótesis. En cualquier caso, parece seguro que Jerusalén duplicó o triplicó la superficie que ocupaba medio siglo antes. No parece, sin embargo, que la población creciera de la misma forma, ya que la mayor parte de este nuevo espacio agregado al caserío se empleó para edificar grandes construcciones que le dieran un aspecto más monumental, lujoso y espléndido, pero no supuso un crecimiento demográfico significativo de la misma.

Para ampliar la ciudad hacia el norte y ocupar el monte Moriá fue preciso crear un terraplén llamado Milo, que superara el desnivel existente entre la parte sur y la parte nueva al norte. Esta última debía tener una cota unos quince metros más alta que la ciudad baja. El Milo servía como muro de contención en el extremo del promontorio en el que se ubicaba la ciudad real. Salomón ordenó también construir un fastuoso palacio real, del que nos han quedado descripciones de su lujo y su suntuosidad, pero nada conservamos de él.

Sin embargo, su obra más importante, la que le ha dado fama imperecedera para el resto de los siglos, fue la erección del primer gran templo de Jerusalén. Un templo destinado a conservar el Arca de la Alianza, sobre la misma roca en la que Abraham había protagonizado su trascendental acto de fe ocho siglos antes. Un templo, al que por su importancia podemos denominar el Templo, con mayúscula, pues fue tal su trascendencia que, desde entonces, de todos los que se han construido después ninguno ha llegado a alcanzar la fama de este primitivo recinto.

Esa fama, sin duda, viene dada por la importancia que la Biblia, en el Antiguo Testamento, le concede. Nada ha llegado a nuestros días de ese primitivo templo de hace tres mil años, pero la descripción pormenorizada que se hace en el libro sagrado de los judíos ha permitido a los arqueólogos deducir cómo debía ser su forma y hasta incluso cómo podría ser su interior. En este, se hallaba el lugar más importante de todos, el Debir o Sancta Sanctorum, en el que se conservaba el Arca de la Alianza sobre la piedra del sacrificio, rodeado por dos querubines de oro. A ese sagrado lugar solo podía tener acceso el Sumo Sacerdote o el Rey, y ello solo en determinados días del año. Era allí donde más cerca se estaba de Dios, y por tanto el acceso a ese lugar privilegiado debía estar vedado a cualquier hombre que no fuera el más importante del reino o de sus sacerdotes.

El templo tenía unas dimensiones relativamente reducidas para la fama que le rodeó, de unos 30 metros de longitud, 10 de ancho, y 15 de altura. Estaba presidido por una enorme pila ritual de bronce, llamada Yam, a la que también se conocía por el "Mar fundido", que se encontraba a la entrada del templo.

Con la ampliación de Jerusalén hacia el norte y con la construcción del templo de Salomón, el monte Moriá se convirtió en el núcleo espiritual del judaísmo, y con el tiempo del cristianismo y de buena parte del mundo.

Salomón no fue en absoluto un soberano intolerante. Por el contrario predicó la tolerancia religiosa, algo que se convirtió en una actitud bastante rara con el paso del tiempo. Y para demostrar su tolerancia, erigió también templos para otras religiones, como las que profesaban los moabitas o amonitas. Salomón murió hacia el año 930 a.C., pero su obra perduró durante tres siglos y medio. Jerusalén se convirtió en un importante centro espiritual, y todas las tribus de Israel contribuyeron a su mantenimiento aportando una cantidad anual para la conservación y mejora del Templo. Este sirvió de nexo de unión al mundo judío, y su permanencia supuso que Jerusalén fuese considerada una ciudad santa por el resto de su Historia.

A la muerte de Salomón, su reino se dividió de nuevo en dos: Israel y Judá o Judea, tal y como lo había estado antes de la llegada al trono de David; pero Jerusalén siempre fue considerada la capital religiosa de ambos. Sin embargo, este hecho propició el debilitamiento israelita, y también provocó que solo cuatro años después de la muerte de "el Rey Sabio", el faraón egipcio Shishak, o Sheshonk, atacara a la ciudad y saqueara el Templo por primera vez. Muchas más le seguirían a esta, y casi todas mucho más destructivas, pues el faraón de origen libio, a quien ya conocemos como uno de los dirigentes egipcios que contribuyó al engrandecimiento tebano, solo se llevó los dos escudos de oro del rey que se conservaban hasta entonces en el Templo. No quiso, o no pudo por los motivos que fueran, llevarse el resto de las riquezas que en el mismo se habían atesorado durante más de medio siglo.

Durante varios siglos Jerusalén vivió una época tranquila, sin apenas cambios o grandes acontecimientos. Pero el enfrentamiento entre el dividido mundo israelita tuvo nefastas consecuencias. En una de esas luchas, a principios del siglo VIII a.C., el reino israelita del norte derrotó al judío del sur, bajo cuyo control territorial se encontraba la ciudad. Los israelitas ocuparon Jerusalén, saquearon los tesoros del templo (pero respetaron al Arca de la Alianza, por la que sentían un verdadero temor divino) y destruyeron sus murallas para que no se pudiera volver a defender en el futuro. Tras este hecho, Jerusalén comenzó sin embargo una nueva época de paz y de tranquilidad. Bajo el rey Jeroboam se inició una recuperación demográfica y económica. A mediados del siglo VIII a.C. la ciudad había crecido tanto que fue necesario ampliarla por el valle del Tiropeón hasta el valle del Hinnón, en dirección al oeste. Aún así, debía ser un asentamiento muy pequeño. La población era escasa, e incluso no había recuperado el nivel que tenía en la época de Salomón. Se calcula que hacia el año 720 a.C. solo debían habitar en ella poco más de mil personas, agrupadas en torno al santuario del monte Moriá. Hasta ese momento, ese era el único motivo importante que le daba vida a Jerusalén.

Sin embargo, pocos años después, la situación cambió. Al norte se estaba formando un agresivo y expansionista imperio, el asirio, y pronto Israel sufrió las consecuencias. Los asirios penetraron por el norte de Canaan, derrotaron a los israelitas y estos se vieron obligados a huir hacia el sur. En ese desplazamiento, las diez tribus israelitas del norte encontraron acogida en la ciudad del templo de Salomón. De esta forma, Jerusalén vio aumentar su población considerablemente. Hacia el año 700 a.C. el número de sus habitantes debía oscilar entre 15.000 y 20.000.

Semejante crecimiento implicó nuevas necesidades para las que no estaba preparada la ciudad. El abastecimiento de agua fue el primero y el más grave de todos ellos. En este momento, el rey de Judá era Ezequías, y ante este problema afrontó con decisión la nueva situación. Durante su reinado, entre el 716 y el 686 a.C., Ezequías llevó a cabo la construcción de un enorme túnel de 535 metros de longitud que hiciera llegar el agua del manantial de Gihón al resto de la ciudad. Este grandioso conducto subterráneo, del que todavía se conserva buena parte, permitió abastecer sobradamente a la creciente población de la ciudad. Para completar su obra, Ezequías dispuso que el túnel estuviera protegido por muros y estos acabaran flanqueados por una torre que impidiera, en caso de asedio, que los enemigos pudieran tomar tan vital obra de ingeniería. Además, reconstruyó el estanque de Siloé, dándole unas dimensiones apropiadas a la nueva obra y garantizando así el abastecimiento de agua a la numerosa población, en el caso de que un enemigo asediara a la ciudad.

Y eso mismo fue lo que sucedió. En su marcha hacia el sur, los asirios aparecieron ante las murallas de Jerusalén y pusieron sitio a la ciudad esperando rendirla por la sed. Pero el túnel de Ezequías comenzó a dar sus frutos. La población abastecida resistió y los asirios tuvieron que acabar levantando el sitio que habían organizado para

Dibujo del tipo de vivienda que existía en Jerusalén hacia el I milenio a.C.

su conquista. Las reformas, con nuevas fortificaciones, torres y hasta una nueva muralla exterior (que iba desde la Misneh, o colina del templo, hasta Makhtesh o barrio del Mortero) permitieron que Jerusalén no fuera saqueada y sufriera la furia y la crueldad asiria.

Durante todo el siglo VII a.C., Jerusalén apenas si experimentó nuevas modificaciones en su situación. Esta atonía propició que tanto el Templo como el recinto amurallado se fueran deteriorando progresivamente ante la ausencia de los cuidados necesarios. El único acontecimiento de interés de aquella centuria tuvo lugar en el año 622 a.C. cuando el sumo sacerdote Helcias, al llevar a cabo unas obras en el Templo, descubrió en uno de sus muros el "Libro de la Ley", del cual se decía que se remontaba en su antigüedad a la época de Moisés. El descubrimiento de este libro implicó un cambio en la concepción religiosa judía. Se inició un período de intransigencia y se pretendió eliminar cualquier otro tipo de religión que no fuera la ley mosaica inspirada por Yahvé. Esto propició una mayor intolerancia con respecto a otros pueblos y, sobre todo, a otras religiones, que acabaría teniendo efectos negativos sobre la propia historia de Israel.

El cautiverio babilónico y la construcción del segundo templo

A comienzos del siglo VI a.C., la situación internacional había cambiado radicalmente. El Imperio asirio había desaparecido, y en su lugar había surgido un nuevo imperio centrado en Babilonia, desde la cual su rey Nabucodonosor II emprendió la política de crecimiento y de expansión militar que conocemos. En este contexto, Nabucodonosor exigió a Israel, en el año 597 a.C., que pagara tributos a la nueva potencia triunfadora, pero los judíos se negaron a aceptar tal imposición. La consecuencia de este acto fue que el rey babilonio envió a sus tropas contra los rebeldes y, tras tres meses de asedio, consiguió la capitulación de Jerusalén. Durante el último siglo, tanto su sistema defensivo como su sistema de abastecimiento de agua se habían deteriorado, y la ciudad no estaba en condiciones de resistir un asedio durante mucho tiempo ante un enemigo poderoso. Nabucodonosor decidió castigar a los orgullosos judíos y obligó a que mil de sus hombres más importantes, entre los que se encontraban sus gobernantes e incluso el propio rey Joaquín, marcharan exiliados a Babilonia donde podría controlarlos directamente.

Pero este escarmiento sirvió de poco. Los indómitos judíos decidieron volver a las andadas, y diez años después se negaron de nuevo a pagar tributos, pese a que sus ciudadanos más importantes estaban bajo el control de Nabucodonosor. Este decidió acabar definitivamente con los irreductibles judíos y enviar un nuevo ejército mucho más poderoso que el primero contra la díscola Jerusalén. En este caso la venganza fue terrible. Las tropas babilónicas tenían la orden de destruir y saquear la ciudad, y de matar a sus habitantes, o de llevarlos prisioneros para esclavizar a los que se rindieran. Y así lo hicieron. En el 587 a.C. sometieron a la ciudad a un espantoso saqueo. Destruyeron el gran templo de Salomón y se llevaron a Babilonia todos sus tesoros, incluido el Arca de la Alianza de la que nunca más se llegó a saber. Probablemente fue fundida, y su oro sirvió para pagar, en parte, las ambiciosas obras de construcción en las que Nabucodonosor II estaba empeñado para hacer de su ciudad la más hermosa de todos los tiempos.

Según una leyenda, los sacerdotes que custodiaban el Arca decidieron sacarla del Templo, antes de que los babilonios se llevaran lo que era el máximo símbolo del judaísmo, y la escondieron para evitar su caída en manos de los enemigos. Esto dio lugar a una serie de historias posteriores, según las cuales el Arca fue de un lugar a otro y no llegó a ser destruida. Incluso un importante medio de comunicación como es el cine se hizo eco de esta tradición y se llegó a rodar varias películas de gran éxito sobre este tema entre las que destacó particularmente *En busca del arca perdida*, del conocido director Steven Spielberg.

Nabucodonosor II ordenó además que todos los habitantes fueran enviados a Babilonia, donde trabajarían como esclavos en las construcciones que se estaban levantando en la ciudad. De esta forma, Jerusalén permaneció despoblada de ciudadanos judíos durante el cautiverio babilónico, que duró medio siglo. En el 539 a.C., tal y como relatamos en su momento, el rey persa Ciro II conquistó la ciudad de Babilonia, y a continuación decidió dejar en libertad a los judíos que quisiesen regresar a su patria. Muchos lo hicieron, y entre ellos, los habitantes de Jerusalén. En cuanto estos llegaron a la ciudad, se propusieron reconstruir lo antes posible el templo destruido de Salomón. Pero las circunstancias habían cambiado. Los tiempos del rey sabio habían pasado hacía ya muchos siglos, y los judíos de aquella época no estaban en condiciones de repetir la grandeza de las construcciones de cuatro siglos antes. Aún así, y con la ayuda de Darío I, el nuevo soberano persa, iniciaron la reconstrucción del Templo. Este segundo templo estuvo finalizado hacia el año 516 a.C., pero sin duda no era comparable al que se había levantado en la época salomónica.

Jerusalén pasó a continuación por una nueva etapa de tranquilidad y atonía. Los acontecimientos que se vivieron en los tres siglos siguientes apenas si son dignos de mención. Solo algunos de ellos rompieron esa situación de postración y de decadencia. Así, a mediados del siglo V a.C., el rey Nehemías, bajo el control persa, decidió reconstruir las murallas que habían sido destruidas por Nabucodonosor II. La ciudad se extendía en ese momento por una superficie de 40 hectáreas y su población no era probablemente ni la mitad de la que tuvo anteriormente en su época de mayor esplendor.

En el siglo IV a.C., la ciudad fue ocupada por los griegos de Alejandro Magno, a quien ya hemos reconocido su protagonismo en el devenir de Babilonia y de Tebas. Tras su muerte, Ptolomeo, uno de sus generales, se hizo con el control del territorio judío, y para congraciarse con sus súbditos decidió presentar ofrendas en el altar del templo como muestra de devoción. Ese fue el único hecho digno de mención en esta larga etapa de tranquilidad.

Pero la tranquilidad tenía también su fin. En el siglo II a.C., regresó la guerra. Jerusalén se encontraba en un territorio duramente disputado por dos de los reinos helenísticos que surgieron tras la muerte del gran Alejandro: el sirio de los seléucidas y el egipcio de los ptolomeos. En el desarrollo de las hostilidades, la ciudad pasó de manos de unos a otros, y en el transcurso de esos vaivenes, el rey Seleuco IV intentó apropiarse del tesoro del Templo en el año 175 a.C. Sin embargo, la habilidad del sumo sacerdote Heliodoro, y la corrupción del encargado seléucida que debía llevar a cabo la exacción, que aceptó el soborno de aquél, lo impidieron. Pero al año siguiente, Antioco IV, el nuevo soberano seléucida, cometió un error en apariencia inocuo pero que trajo peores consecuencias. Fiel al espíritu griego de *Mens sana in corpore sano*, Antioco decidió construir un gimnasio en Jerusalén, en el que, siguiendo la costumbre griega, los jóvenes practicaban desnudos los ejercicios. Aquello resultó demasiado para los puritanos judíos, y entre eso y los errores y abusos que habían cometido los anteriores soberanos seléucidas, los judíos radicales y extremistas fueron preparando la insurrección contra el gobierno que tanto les contrariaba.

Así, en el año 173 a.C. los habitantes de Jerusalén se levantaron contra la dominación seléucida y echaron a sus representantes de la ciudad. Antioco no permaneció quieto ante esta afrenta. Atacó de nuevo a los insurrectos, los sometió y, tras destruir las murallas, decidió llevarse todo aquello de valor que encontró en el Templo. No contento con esta afrenta, decidió cometer otra aún mayor para vengarse todavía más de los incorregibles judíos. De este modo, se le ocurrió la idea de convertir el Templo en un santuario griego dedicado al más grande de sus dioses, el Zeus Olímpico. Esta profanación rozaba ya el máximo grado para los exasperados judíos y estos se dispusieron a vengar la afrenta, aunque fuera con su muerte, antes de consentir semejante atentado contra sus principios básicos. Y encontraron al hombre adecuado, Judas Macabeo.

Bajo la dirección de este capacitado líder, volvieron a atacar Jerusalén, recuperando el control de la misma. Su primer acto tras expulsar a los seléucidas, fue purificar el Templo y volverlo a consagrar al judaísmo. Tuvieron suerte. Los seléucidas comenzaron a tener problemas por todas partes, y no fueron capaces de atacar a los judíos de nuevo. Jerusalén se salvó por una serie de afortunadas circunstancias, pero no siempre iba a tener la misma suerte en el futuro, como tampoco la había tenido en el pasado, por regla general. El gobierno de los Macabeos fue beneficioso para Jerusalén. Ampliaron el Templo e iniciaron un período de más de dos siglos de tranquilidad (solo rota en escasas ocasiones) y de crecimiento de la urbe en todos los sentidos. Fue en este momento, desde mediados del siglo II a.C. hasta mediados del I ya en nuestra era, cuando Jerusalén alcanzó su cenit y su máximo apogeo en el mundo antiguo. Durante esta etapa, la ciudad llegó a extenderse por una superficie de más de 80 hectáreas, en las que vivía una población que probablemente superó en su momento de mayor esplendor los 40.000 habitantes. No eran muchos, en comparación con otras grandes ciudades de la época, pero fue quizás el período en el que la capital israelita llegó a su punto culminante.

Esta época coincidió con la llegada al Mediterráneo oriental de una nueva potencia militar: Roma. En el contexto de un enfrentamiento por el poder entre dos facciones macabeas, una de ellas solicitó ayuda a Roma. Esta envío al más experimentado de sus generales, Pompeyo, con el objetivo de poner orden en Judea y, de esa forma, extender su poder por esta parte del mundo. En el año 64 a.C., Pompeyo llegó a Jerusalén para apoyar a Aristóbulo, que dirigía a la facción que había solicitado ayuda a Roma. Pero Pompeyo no tenía la intención de ayudar sin recibir nada a cambio, más bien todo lo contrario. Tomó Jerusalén tras construir una rampa enorme por la que sus legionarios accedieron al interior de la ciudadela. En el ataque llegó a penetrar en el interior del Templo, e incluso se atrevió a entrar en su lugar más sagrado y prohibido, el Sancta Sanctorum, a pesar de las advertencias que le hicieron los temerosos judíos (cuando le preguntaron qué había encontrado allí, respondió: "Nada"). Una vez realizado todo esto, Pompeyo, en nombre de Roma, se dispuso a cobrar el tributo. Su ayuda no había sido gratuita.

LA MEGALOMANÍA CONSTRUCTIVA DE HERODES EL GRANDE

Pompeyo puso a la ciudad bajo el teórico gobierno del grupo macabeo al que había ayudado, pero también bajo el control de la guarnición romana que dejó allí. Jerusalén no volvería a ser verdaderamente libre en mucho tiempo. Roma impuso su ley sobre la ciudad, aunque en teoría esta siguiera manteniendo sus reyes independientes. Y uno de estos reyes, sin duda el más importante, subió al trono con la ayuda de los soldados romanos. Su nombre era Herodes, y como otros muchos soberanos llevaron este mismo nombre, se le conoce con el sobrenombre de "el Grande", para diferenciarlo de los demás.

Herodes fue proclamado rey en el año 40 a.C., aunque no consiguió arrebatar a Jerusalén del grupo de los asmoneos, que era quienes la controlaban hasta entonces, hasta el año 37 a.C. Con Herodes y su extraordinario programa constructivo, Jerusalén alcanzó un esplendor como jamás había tenido a lo largo de toda su historia, y como comparativamente nunca más llegaría a alcanzar. Rey de Judea durante 33 años, en tan reducido espacio de tiempo Herodes acometió tal serie de construcciones en Jerusalén y otros lugares que resulta asombroso comprobar cuáles fueron sus realizaciones.

Entre ellas cabe destacar dos palacios, el Real, que recibió su nombre, y el de los asmoneos, así como una ciudadela a la que se le dio también el nombre de la ciudadela de Herodes anterior. En realidad se trató de una ampliación de la fortaleza ya existente, mediante la construcción de tres nuevas torres defensivas de varias plantas (denominadas Mariamna, Filípica y Fasaelica) que la dotaran de mayor seguridad. Herodes construyó también otra fortaleza mucho más poderosa denominada Antonia, que protegía el grandioso templo que llevaba su nombre. En esta fortaleza tenía su sede la guarnición romana que vigilaba a la ciudad.

Herodes se preocupó además por el abastecimiento de agua a la siempre sedienta población de Jerusalén. Para ello construyó un nuevo acueducto que traía el agua desde dos fuentes existentes al sur de la localidad de Belén. El agua se almacenaba en la ciudad en cuatro grandes estanques que recibieron los nombres de Israel, Strouthion, Betsaida y Siloé. Este último, en realidad, fue producto de una considerable remodelación del ya existente.

Una de las obras que más modificó la estructura urbana de Jerusalén fue la ampliación del recinto amurallado. La ciudad se extendió hacia el noroeste, creciendo en dirección al valle de la Gehena. El recinto se complementó con tres puertas de acceso, la de Damasco, la de Gennat y la puerta de los Esenios. Todas estas obras se llevaron a la práctica gracias a la extracción de abundantes materiales de canteras próximas a la ciudad, en especial de la del Gólgota o monte de la Calavera, que quedó fuera del ámbito urbano de la nueva muralla, aunque se encontraba situado muy cerca de la urbe.

Otras obras destacadas en Jerusalén fueron la Casa Marónica o del Consejo y la Xystus o plaza abierta. El afán constructor de Herodes no se limitó a su capital. Para mejorar el abastecimiento y el comercio, se construyó el gigantesco puerto de Cesarea, que fue una obra modélica en su tiempo, contando con unas dimensiones enormes para su época. También construyó un colosal mausoleo denominado Herodium o fortaleza herodiana, cerca de Jerusalén, donde fue enterrado cuando murió en el año 4 antes del nacimiento de Cristo. Permítasenos lector un inciso: es evidente que Jesucristo no nació en el año que da comienzo a nuestra era, pues Herodes falleció cuatro años antes de la fecha fijada para el inicio de la era cristiana, y según los evangelios, cuando el hijo del Dios de los cristianos nació, Herodes aún vivía.

La generosidad constructiva de Herodes llegó incluso fuera de las propias fronteras de Judea. Atenas o Antioquia recibieron también regalos de Herodes en forma de importantes edificios. Sus proyectos eran de lo más ambicioso. De hecho, en el momento de su muerte, Herodes tenía previsto dotar a Jerusalén de un teatro, un anfiteatro y un hipódromo para las carreras de cuadrigas, pero la muerte se llevó con él estos planes.

Pero si Herodes es universalmente conocido por una gran obra dentro de tantas grandes obras, esa fue sin duda la del Gran Templo que recibió su nombre. Este se convirtió en el *Templo* por excelencia, tanto para los judíos, como para todas las religiones derivadas del judaísmo.

Entre el año 35 y el año 9 a.C., se llevó a cabo la construcción de lo que se convirtió en uno de los grandes monumentos de la antigüedad. Desgraciadamente, casi nada se ha conservado hoy día del majestuoso templo herodiano. Para su edificación se amplió, en primer lugar, un inmenso espacio en la colina de Moriá. Allí, sobre la roca de Abraham, se habían construido anteriormente dos templos, pero ninguno de ellos, ni siquiera el de Salomón, que tan alta fama llegó a alcanzar, fueron un pálido reflejo de este de Herodes.

El recinto medía nada menos que 485 metros de largo por 314 de ancho, y la altura del santuario principal debía superar los 50 metros. Esta debía ser la altura tanto de los contrafuertes sobre los que se asentaban los pórticos de columnas, como probablemente también la elevación que tenía el templo en sí. Esto supone que la parte más alta del mismo, debía estar nada menos que a unos 100 metros por encima del nivel de base de la montaña sobre la que se ubicaba y sobre el resto de Jerusalén. Y es preciso recordar que en esas dimensiones no se incluyen los edificios aledaños al complejo, que lo harían aún mucho más grande. Ni la fortaleza Antonia, que junto con el estanque de Siloé (destinado a abastecer a todo el recinto de agua) lo cerraban por el norte, ni las rampas de acceso (en cuyos pisos inferiores se ubicaban numerosas tiendas) que mediante amplias escalinatas lo circunvalaban por el sur, se encontraban dentro del recinto del Templo.

El abastecimiento de agua no solo estaba asegurado por el gigantesco estanque de Siloé. Bajo el suelo de la explanada del Templo se construyó también un complejo sistema de cisternas destinado a almacenar agua con la que abastecer sobradamente a las necesidades del santuario. Estas cisternas, redescubiertas por los cruzados más de mil años después, fueron confundidas por

Maqueta del edificio central
del Gran Templo construido por Herodes el Grande.

estos, de forma un tanto absurda, con los antiguos establos del rey Salomón. La periferia del Templo era un enorme espacio porticado con cientos de altas columnas de mármol, que quizás incluso superaban el millar. En particular la columnata del sur resultaba espectacular, era la Gran Stoa Real. En ella se reunía el Sanedrín o Supremo Tribunal judío.

La explanada en el centro de la cual se situaba el edificio en sí del templo era un espacio gigantesco, en el que había que atravesar hasta cinco recintos amurallados para poder acceder al lugar donde se encontraba el santuario principal. Este, a su vez, se componía de diversos edificios, entre los que se encontraban: el Patio de las Mujeres, la Cámara de los Leprosos, el Patio de los Israelitas, unos almacenes para el aceite y la leña, y un gran patio, en el que se encontraba el altar donde se realizaban los sacrificios.

Todo esto se ubicaba justo antes de entrar en el templo principal construido sobre la Roca. A este se accedía mediante un Ulam o pórtico, flanqueado con dos columnas decoradas con parras de oro. El Ulam daba paso al Henkal, o sala principal. En ella se hallaban la Menorá o candelabro de los siete brazos, el altar del incienso y la mesa del pan ácimo. Este era el lugar máximo al que podían penetrar los fieles. Más allá del mismo, su acceso estaba prohibido. Y ese lugar último, oculto, inaccesible, protegido por una cortina tejida muy alta, se encontraba el Debir, al que conocemos mejor como el Sancta Sanctorum, el lugar más sagrado de todo el judaísmo, el punto al que solo podían acceder el Sumo Sacerdote y el rey, y ello solo en días y circunstancias excepcionales. No sabemos qué es lo que se encontraba allí, pero probablemente "Nada" como dijo Pompeyo tras osar penetrar en él, pese a los avisos de muerte y de desgracias fulminantes que caerían sobre quién se atreviera a hollarlo con sus plantas. Quinientos años antes, allí se encontraba el Arca de la Alianza, pero ese símbolo del poder de Dios había desaparecido, y es bastante probable que en el Debir solo se hallara la piedra en la que, según la tradición, Abraham había intentado sacrificar a Isaac.

El edificio central del templo en sí debía medir unos 52 metros y medio de largo, y quizás otros tantos de altura, aunque esto, lógicamente, sea más difícil de asegurar, ya que nos han llegado muy pocos restos del mismo.

De toda esta inmensa obra no queda casi nada, solo algunos de los sillares del muro de contención occidental, el que hoy conocemos como Muros de los Lamentos o de las Lamentaciones, por ser en este lugar donde rezan los judíos, y se "lamentan" por la destrucción del Templo. Cuando se visita ese lugar y se comprueba sus dimensiones, a sabiendas de que lo que allí queda es solo una pequeña parte, la menos importante del Templo, no es posible dejar de sobrecogerse al pensar en lo que debió existir en aquel lugar hace dos mil años, cuando se encontraba en pleno esplendor.

Queda también la piedra del sacrificio, lógicamente, pero muy desgastada y cubierta por una estructura que en nada se parece a la original, y además está en este caso consagrada a una nueva religión que apareció seis siglos después: el islam.

La obra debió acabarse poco antes de que naciera Jesucristo en Belén. Cuando este visitó el lugar hacia el año 30, ya de nuestra era, debió verlo en la plenitud de su esplendor. En realidad el Templo tuvo una vida muy corta, pues ni siquiera llegó a cumplir los ochenta años antes de ser destruido.

Jesucristo predicó en el Templo una semana antes de su crucifixión, y fue en la Stoa Real donde discutió con los miembros del Sanedrín. En la fortaleza Antonia, el gobernador romano Poncio Pilato lo juzgó, y de allí partió por la más tarde llamada "Vía Dolorosa" hacia el Gólgota. Por ello, el recinto también se convirtió en un lugar de culto para la religión cristiana, aunque con unas connotaciones completamente distintas a la judía.

Rebeliones y destrucciones

Poco después de la muerte de Jesús de Nazaret aparecieron nuevos problemas. El emperador romano Calígula ordenó que se colocase una estatua de sí mismo en el interior del Templo, para que de esta forma se le pudiese rendir culto como a un dios. Los judíos se negaron terminantemente a aceptar semejante sacrilegio, y la cosa hubiera podido acabar muy mal de no ser porque, poco tiempo después, murió Calígula y de esa forma se impidió llevar a cabo su orden.

En este contexto subió al trono de Judea un nuevo soberano, Herodes Agripa. Este nuevo Herodes continuó la obra de su antecesor, cuando Jerusalén estaba experimentando un crecimiento que desbordaba ya incluso a la muralla que había ordenado construir Herodes el Grande. Hacia el año 41 d.C. (a partir de ahora todas las fechas serán "después de Cristo", por lo que eludiremos poner estas siglas) Herodes Agripa dio la orden de iniciar la construcción del tercer recinto amurallado de la ciudad. Se tardaría un cuarto de siglo aproximadamente en completarlo, y cuando estuvo finalizado, Jerusalén había aumentado considerablemente la superficie edificada hacia el norte. En este espacio se incluía ya la cantera del monte Gólgota, en el cual Jesucristo había sido crucificado pocos años antes.

La nueva muralla comenzaba en la torre Hípica de la ciudadela, se extendía hacia el norte hasta la torre Sefmas, para luego descender hacia el este, uniéndose a fortificaciones más antiguas, al lado de la fortaleza Antonia, para terminar, finalmente, en el valle del Cedrón. El mercado de las Ovejas quedaba fuera de las nuevas murallas de la ciudad y no fue incorporado a la misma hasta época turca otomana, dieciséis siglos después. La finalización de la muralla tuvo lugar justo antes de que ocurriera uno de los acontecimientos más importantes en la historia de Jerusalén: la gran rebelión del año 66. Calígula había dado ya los primeros pasos con su torpe política tendente a ocasionarle problemas entre los judíos más extremistas, debido a sus caprichos de emperador. Su sucesor, Claudio, mucho más hábil, dio marcha atrás en los proyectos de su sobrino. Pero Nerón, que fue a su vez sucesor de Claudio, decidió que ya estaba bien de contemporizar con los molestos judíos. Necesitado de dinero, ordenó una considerable subida de los impuestos. Y este fue el comienzo del fin.

Los exasperados judíos, siguiendo los consejos de los zelotes, una rama intransigente y violenta dentro del judaísmo, se organizaron, atacaron a la guarnición romana de Jerusalén y tomaron el control de la ciudad. Los sorprendidos romanos tardaron tiempo en reaccionar, y además se encontraron con problemas internos de carácter sucesorio tras el suicidio de Nerón. Durante estos años, los judíos se reforzaron esperando el ataque romano. Cuando este llegó, lo hizo bajo el mando de dos prestigiosos generales, Vespasiano y su hijo

Bajorrelieve del Arco de Tito en la Vía Sacra del Foro imperial romano, en el que se muestra a los legionarios llevando en triunfo por la ciudad de Roma al trofeo conseguido tras saquear el Templo de Jerusalén: la Menorá o candelabro de los siete brazos.

Tito. El primero, tras una dura lucha, se fue haciendo con el control de Judea, pero tuvo que regresar a Roma para ser proclamado emperador y dejó a su hijo el control de las legiones.

Tito decidió acabar con la obra de su padre, y con unos 60.000 hombres, puso cerco a Jerusalén durante dos años. Los obstinados judíos se defendieron hasta la muerte en el reducto final, y para ello fortificaron convenientemente el templo de Herodes. En el verano del año 70, las tropas de Tito consiguieron conquistar el Templo, y su venganza fue despiadada. Mataron a los 6.000 hombres que habían defendido el recinto hasta su último aliento, y se llevaron como esclavos a la mayor parte de la población de la ciudad para venderlos en Roma y destinarlos como castigo al trabajo más duro, en las minas. Al año siguiente, celebraron un grandioso triunfo en la capital del imperio, en el que portaron los tesoros arrebatados a los judíos, entre ellos la Menorá o candelabro de los siete brazos. Para conmemorar este desfile, se construyó en el Foro imperial de Roma el denominado Arco de Tito, en el que aún puede contemplarse cómo los legionarios cargan sobre sus hombros el mencionado candelabro de los siete brazos.

El saqueo fue brutal y no respetó a nada ni a nadie. Los soldados convirtieron a la ciudad en una auténtica ruina, y el edificio que más sufrió su venganza fue el Gran Templo de Herodes, derruido hasta sus cimientos con el objetivo de que no solo no volviera a ser utilizado como fortaleza nunca más, sino también el de dar con ello un duro escarmiento a los obstinados judíos. Del edificio solo quedaron sus cenizas y muchos escombros, salvo el citado muro de las Lamentaciones, tras procederse a su desmantelamiento sistemático durante los años siguientes y a la reutilización posterior de sus materiales en nuevas construcciones.

Durante sesenta años los únicos habitantes que quedaron en Jerusalén fueron los miembros de la X Legión del ejército romano. Los judíos tenían prohibido, bajo pena de muerte, acercarse a la ciudad. Pero con el paso de los años, esta orden se fue relajando, y los escasos supervivientes volvieron con el tiempo a su antigua capital para visitar los restos que quedaban de su lugar más sagrado.

De Aelia Capitolina a cuna del cristianismo

En el año 129 el emperador Adriano visitó la ciudad, y la encontró en un estado de desolación tal, que albergó la idea de reconstruirla, no como una ciudad judía, lo que siempre había sido, sino como una colonia romana. Las obras se iniciaron al poco tiempo, y el trazado caótico de la Jerusalén antigua fue sustituido por el plano más ordenado de la Jerusalén romana, a la que incluso se le cambió al nombre. A partir de ese instante se la conocería como Aelia Capitolina, en honor al nombre genérico (Aelio) de la familia del emperador. Pero los judíos que aún quedaban en Palestina (el nuevo nombre que se le daba al antiguo territorio de Judea: otro castigo más de los romanos) se horrorizaron al contemplar cómo sobre las ruinas del antiguo templo herodiano que aún veneraban, se proyectaba construir un templo dedicado al dios romano Júpiter. Esto era más de lo que otra vez estaban dispuestos a soportar. Y de nuevo, la desesperación judía dio lugar a una última y definitiva revuelta dirigida por un líder llamado Bar

Kocheba, que en castellano quiere decir 'el Hijo de la Estrella'.

En el año 132 la rebelión degeneró en insurrección armada. Los judíos tomaron las ruinas de Jerusalén, expulsaron a la X Legión y lucharon con todas sus fuerzas durante tres años. En el 135 los romanos habían acabado con toda resistencia, pero a un duro precio. Se calcula que más de medio millón de personas perecieron en la lucha. La venganza romana fue aún peor que la del año 70. Ya no solo no se permitió a los escasos judíos supervivientes que visitaran el lugar del templo, ni tan siquiera la ciudad en sí, sino que además se les prohibió, bajo pena de muerte, seguir residiendo en el territorio palestino. Los miles de supervivientes tuvieron que emprender el camino del exilio, y a esta emigración forzada se le conoce con el nombre de Diáspora o dispersión. No volvería a existir un Estado judío en los siguientes mil ochocientos años. Los judíos se extendieron por todo el mundo, sobrevivieron a persecuciones y matanzas, algunos prosperaron e incluso se hicieron muy ricos, pero en todo este tiempo, nunca olvidaron su tierra ni el magnífico templo que había existido en lo alto del monte Moriá.

Los romanos procedieron ahora a una transformación radical del espacio urbano. Arrasaron todo lo existente hasta entonces, y cambiaron por completo la trama de la ciudad. Diseñaron dos grandes vías: un cardo en un sentido norte–sur, y un decumano, con un sentido este-oeste. Rellenaron con los escombros del Templo la explanada donde este se encontraba, y en su lugar construyeron el templo de Júpiter, que habían comenzado poco antes. Cegaron asimismo los estanques que había construido Herodes y también rellenaron con más escombros el monte del Gólgota, en él edificaron un templo dedicado a la diosa Venus. En un acto de venganza premeditada, destinado a humillar aun más a los vencidos judíos, decidieron adornar una de las puertas de acceso a Aelia Capitolina con el relieve de un cerdo, lo cual suponía la mayor afrenta posible para un ciudadano judío.

Pero ya no quedaba ni en la ciudad, ni el país, nadie que pudiera vengar ese insulto. Los judíos habían aprendido la lección y decidieron no poner de nuevo a prueba la paciencia de los romanos. Aceptaron de tal forma la realidad, que incluso pocas décadas después de la definitiva destrucción de Jerusalén, el emperador Antonino Pío les permitió volver a practicar de nuevo sus cultos en el imperio sin miedo a ser denunciados. Pero se les siguió prohibiendo indefinidamente el regreso a Palestina.

Durante dos siglos, Aelia Capitolina progresó. Sin embargo, a comienzos del siglo IV, una nueva religión, que había tenido también su origen en Jerusalén, se estaba imponiendo en el Imperio. Era el cristianismo. En el año 313, el emperador Constantino promulgó en Milán el edicto por el que se podía practicar cualquier religión, aunque esta no rindiera culto al emperador. A partir de ese momento, el cristianismo se impuso con bastante rapidez por todo el imperio. En ese proceso de expansión, los cristianos contaron además con una figura que les ayudaría mucho, Helena, la madre del emperador, a la que hoy conocemos como Santa Elena. Helena, o Elena, visitó Jerusalén hacia el año 326. Su objetivo era encontrar las reliquias que habían pertenecido a Cristo o que tenían algo que ver con él. También se dedicó a buscar los lugares en los que habían sucedido los acontecimientos que se mencionaban en los Evangelios. Pero no era fácil hallarlos. Jerusalén había sido arrasada casi por completo, y Aelia Capitolina tenía poco que ver con la antigua ciudad. De todos modos, Santa Elena halló de una forma u otra lo que buscaba. La verdadera cruz o Veracruz, la corona de espinas, la Santa Lanza, el Santo Grial, el Santo Sudario, la Sábana Santa... Casi todas estas reliquias fueron llevadas a Constantinopla, la nueva capital del imperio, donde recibieron veneración durante muchos siglos.

Santa Elena también se preocupó por los Santos Lugares. Y los halló. Al menos ella y sus seguidores estuvieron convencidos de haberlos encontrado. Excavaron en la base del templo de Venus, y allí localizaron el lugar del sacrificio de Cristo. Pocos años después, en el 335 se derribó el templo pagano y se inició en ese lugar la construcción de la iglesia del Santo Sepulcro. Se erigieron también más iglesias cristianas en Getsemaní, en el Huerto de los Olivos, la de la Dormición de la Virgen, etc. La ciudad volvía a convertirse en Santa, pero esta vez para los cristianos. Y no solo cambió su espacio edificado, sino también su nombre. Por esta época recuperó el tradicional de Jerusalén y se olvidó el efímero de Aelia Capitolina.

Así permaneció durante tres siglos, ahora en manos de los bizantinos, que habían heredado el territorio al dividirse el imperio en el año 395. Justiniano, el emperador más importante de este período, continuó con la política de "cristianizar" la ciudad construyendo más iglesias, tanto en Jerusalén, como en Belén, donde había nacido Jesucristo. Pero los problemas y los enfrentamientos no desaparecieron. Durante el primer tercio del siglo VII, Jerusalén sufrió los ataques de los persas en primer lugar. Estos llegaron incluso a saquearla, llevándose a su capital, Ctesifonte, la Veracruz en el año 614 (si bien acabó siendo repuesta posteriormente en su lugar por el emperador bizantino Heraclio en el 627, en medio de impresionantes ceremonias).

Musulmanes y cruzados

Poco después, en el 637, un nuevo pueblo hizo acto de presencia ante las murallas de Jerusalén, los árabes. Estos eran seguidores de un nuevo tipo de religión basada también en los preceptos monoteístas del judaísmo, el islam. La nueva fe había sido revelada por el profeta Mahoma pocos años antes en la ciudad árabe de La Meca. Según una serie de tradiciones, Mahoma había conocido Jerusalén, a la que consideraba también una ciudad santa. Se decía que hacia el año 620 había viajado a la ciudad en un vuelo nocturno a lomos de un corcel, para visitarla. De ahí surgió la tradición de que en un principio, los fieles musulmanes debían dirigir sus oraciones hacia Jerusalén. Según esas tradiciones, cuando Mahoma murió en el 632, su cuerpo se dirigió otra vez a Jerusalén, y ahí, sobre la roca en la que Abraham había decidido sacrificar a su hijo Ismael (y no a Isaac, según la tradición musulmana), puso por última vez el pie sobre la tierra, para elevarse a los cielos y abandonar definitivamente este mundo. Así pues, la roca de la montaña de Moriá volvía a ser fundacionalmente sagrada para otra nueva religión: se convirtió en un lugar de veneración para el islam, al ser el último lugar que el profeta pisó y desde el que ascendió a la gloria.

En el año 638, tras un asedio de cuatro meses, los musulmanes conquistaron la ciudad. El antiguo recinto del Templo se encontraba aún en ruinas, pero para el islam el territorio volvía a ser

Mezquita de los Omeyas en Jerusalén, también llamada de Omar o de la Cúpula de la Roca, ya que su cubierta se encuentra justo encima de la piedra sobre la que Abraham intentó sacrificar a su hijo.

considerado sagrado. Se le llamó Haram Al Sharif o 'el Noble Santuario', e incluso a la ciudad se le cambió el nombre, conociéndola en lengua árabe como Al Quds.

Los musulmanes iniciaron pronto el proceso de reconstrucción. Su primer objetivo fue Haram Al Sharif. Allí, iniciaron una ambiciosa obra. Rellenaron todo el lugar con los escombros que aún permanecían dispersos por todas partes. En la explanada, construyeron dos grandes mezquitas, una de ellas cubría con su cúpula dorada la roca sagrada de Abraham. Es la actual mezquita de los Omeyas, de Omar, o de la Cúpula de la Roca, ya que se la conoce indistintamente por esos tres nombres, y fue construida entre los años 687 y 691.

Más al sur edificaron otra más, la de Al Aqsa o 'la Más Lejana', así llamada porque se creía que ese fue el lugar más lejano que supuestamente visitó Mahoma. Junto a la misma, y ya fuera del recinto de Haram Al Sharif, construyeron dos grandes palacios para los gobernadores Omeyas. De ellos hoy solo quedan sus ruinas, que están siendo excavadas por los arqueólogos, tras ser destruidos por diversos terremotos.

Con el islam, Jerusalén volvió a sufrir profundas transformaciones. Recuperó parte de su esplendor de antaño, pero experimentó una nueva modificación en su estructura urbana. Se perdió el orden urbanístico de Aelia Capitolina y surgió una ciudad caótica, abigarrada y anárquica, propia del urbanismo musulmán. Hacia el año 1000, quizás volvió a alcanzar los 40.000 habitantes.

Pero un nuevo acontecimiento tendría lugar en la ciudad sagrada. En el siglo XI, sus nuevos gobernantes, los turcos selyúcidas, adoptaron una postura intransigente con respecto a los peregrinos cristianos que la visitaban, cosa que hasta entonces no habían hecho los tolerantes árabes. Los cristianos que pretendían peregrinar a los Santos Lugares regresaban a Europa contando terribles historias sobre las atrocidades que los turcos cometían con ellos.

En la Europa cristiana se experimentó un sentimiento de solidaridad con estos peregrinos, y el propio papa Urbano II, apoyado por varios soberanos y por muchos señores feudales, decidió convocar una Santa Cruzada para recuperar la ciudad sagrada del cristianismo. En el año 1099, y tras un asedio de varios meses, los cruzados tomaron la ciudad sometiéndola a un saqueo terrible y asesinando a la mayor parte de sus habitantes, en uno de los castigos más crueles que conoce la historia. Durante más de un siglo, los caballeros cruzados fueron los dueños de Jerusalén, pero las destrucciones habían sido de tal calibre que tanto su espacio habitado, como la población que en ella había, se habían reducido a menos de la mitad.

Finalmente, a principios del siglo XIII, los musulmanes volvieron a reconquistarla, esta vez definitivamente durante los siete siglos siguientes. Bajo diferentes dinastías (mamelucos, turcos otomanos, etc.) el islam continuó dominando la Ciudad Santa. En el siglo XVI, los turcos emprendieron en ella importantes transformaciones urbanísticas. Durante cuatrocientos años, fueron los dueños de los Santos Lugares.

Pero durante la Primera Guerra Mundial, en 1917, los británicos se hicieron con el control de la misma, y la mantuvieron bajo su dominio durante tres décadas. En 1948 le concedieron la independencia al Estado de Israel y estalló la guerra entre árabes y judíos. Las calles de Jerusalén volvieron a ser campo de batalla una vez más. Cuando al año siguiente acabó el enfrentamiento, los judíos triunfadores regresaron a ella dieciocho siglos después de haberla abandonado. Durante los últimos sesenta años, la Ciudad Sagrada ha experimentado una serie de vaivenes que exceden al objetivo de este libro, pero el afán por la posesión de ese espacio que ha enfrentado a los hombres durante miles de años sigue estando presente en las mentes de unos y de otros. Su sino, como lugar integrador de fe y como lugar de enfrentamiento por ese mismo motivo, sigue siendo, cuatro milenios después de que Abraham llevara a cabo su sacrificio, el de ser uno de los lugares más disputados que existen en el planeta, sino el que más.

5

Cartago, de capital púnica a gran colonia romana

El norte del continente africano es uno de los territorios más áridos del mundo. En él se ubica el enorme desierto del Sahara, una gigantesca extensión de casi nueve millones de kilómetros cuadrados en la que, incluso hoy día, no viven permanentemente ni siquiera medio millón de personas. Pero no siempre fue así. Hace seis o siete mil años, el desierto no era tal. Había vegetación y animales, cuyas figuras aparecen incluso pintadas en los abrigos de paredes rocosas en lo que hoy es pleno desierto. Dibujos de jirafas o de búfalos atestiguan este hecho. Incluso en muchas zonas del desierto llegó a haber florecientes comunidades humanas que se aprovechaban de un medio relativamente favorable. Pero por aquella época, el clima se fue haciendo cada vez más árido. Los lagos retrocedieron, los ríos se secaron, y la vegetación, los animales y los seres humanos acabaron abandonando el desierto hasta nuestros días.

Sin embargo, en el extremo noroccidental del continente africano, una estrecha franja de tierra próxima al mar Mediterráneo, y separada del desierto por la alargada cordillera del Atlas, continuaba recibiendo lluvia cuando los vientos procedentes del océano Atlántico empujaban a las masas de nubes hacia el continente, y aún sigue recibiendo esta lluvia. Además, en las faldas del Atlas era posible encontrar manantiales de agua que de vez en cuando brotaban. En el desierto, esta agua existe en algunos puntos muy concretos, son los oasis, pero cuando surgen en la parte baja de las montañas se les llama fuentes o manantiales. La existencia de agua es un requisito imprescindible para la vida de los seres humanos, y allí donde el agua mana, o hasta donde es posible transportarla, la vida continúa abriéndose paso.

Por ese motivo, la región que hoy conocemos como el Magreb, y que comprende a grandes rasgos la zona norte de los actuales países de Marruecos, Argelia y Túnez, continúa siendo un territorio fértil y rico. En él, la agricultura se beneficia de unas tierras de elevada producción y en sus zonas costeras permite, y lo ha hecho a lo largo de la Historia, tanto las relaciones con pueblos de otras latitudes como la exportación de los productos que su fértil suelo da en abundancia. Por eso no es de extrañar que en cuanto se desarrolló suficientemente el arte de la navegación entre los pueblos del Mediterráneo oriental (lo que ocurrió hace unos cuatro mil años), estos llegaran a sus costas y allí se dieran cuenta rápidamente tanto de la riqueza de este territorio como de las grandes posibilidades que ofrecía.

En este lugar ya existía previamente una población primitiva autóctona, claro está, pero los pueblos orientales no llegaron allí con el objetivo de dominarla u ocuparla. Ni tenían esa posibilidad, ni probablemente tampoco la deseaban. Solo querían crear algún tipo de factoría o de ciudad costera que les sirviera como punto comercial para, desde el mismo, vender sus productos elaborados a las poblaciones nativas a altos precios. O bien, en último caso, cambiárselos por los productos que estos mismos poseían en abundancia y que para los pueblos orientales eran muy atractivos por su escasez en esa otra parte del mundo.

La legendaria fundación de la "Ciudad Nueva" fenicia

De esta forma, hace unos 3.500 años, un pueblo de navegantes que vivía en la costa mediterránea oriental, en lo que hoy es Líbano y que entonces era conocido como Fenicia, comenzó a desplazarse hacia el oeste buscando metales y otros productos que escaseaban en la zona donde ellos vivían. Durante varios siglos, los fenicios no solo recorrieron las costas occidentales del Mediterráneo sino que también se aventuraron a salir de este ámbito reducido, atravesaron lo que se llamó las Columnas de Hércules (el estrecho de Gibraltar) y se dirigieron a unas misteriosas y lejanas islas llamadas por ellos Cassitérides, en las que buscaban un preciado metal, el estaño. El motivo de esta búsqueda es que, al fundir este con el cobre, se obtenía una aleación que se llamaba bronce, y con ese nuevo metal se podían elaborar objetos más duros y resistentes, en especial armas, que no se rompían al combatir contra otras de cobre o piedra.

A lo largo de esos viajes, los fenicios descubrieron que en la costa del noroeste africano, en su parte más oriental, existía un promontorio a partir del cual la línea de costa cambiaba de dirección, pues se dirigía hacia el oeste por su parte septentrional, y hacia el sur por su parte oriental. Es el punto que hoy conocemos como el cabo Bon, que está situado en el país que llamamos Túnez.

Era un lugar excelente como fondeadero, y en sus alrededores la agricultura se practicaba con gran éxito y elevadas producciones. Los fenicios, hábiles marinos y comerciantes, estaban en pleno proceso de crear muchas de esas factorías de las que antes hablábamos. En el 1104 a.C., según una antigua tradición, habían fundado una ciudad en la costa sur occidental de la península Ibérica a la que llamaron Gadir, la actual Cádiz. Solo tres años después, en el 1101 a.C., fundaron una nueva factoría junto a la desembocadura del río Medjerda, a unos cuarenta kilómetros de la actual Túnez, y la llamaron Útica. Durante casi tres siglos, Útica fue el centro del comercio fenicio en el norte de África. Los fenicios la utilizaron como base comercial, y desde ella se llevó a cabo un importante flujo de mercancías entre los pueblos nativos y los navegantes orientales. Estos últimos llevaban productos que los habitantes indígenas, más atrasados desde un punto de vista cultural, valoraban mucho: pequeñas cerámicas de colores vivos, joyas, perfumes, tintes, tejidos y paños, etc. Los habitantes de la zona también ofrecían sus productos a los recién llegados, como el aceite, los cereales… Pero estos productos eran menos valorados por los extranjeros, por lo que siempre exigían a cambio grandes cantidades de los mismos a la hora de realizar los intercambios. Este comercio desigual proporcionaba enormes beneficios a los visitantes, pero también traía la prosperidad a quienes vivían en esa tierra desde siempre, aunque en mucha menor medida. De esa forma, llegaban manufacturas que en otras condiciones difícilmente hubieran llegado allí alguna vez.

Esta zona del norte de África tenía además otra peculiaridad. Al sur de la misma existía un amplio arenal del que antes hablamos y al que hoy conocemos como el desierto del Sahara. Era un lugar duro e inhóspito, carente de agua y por tanto de vida. Difícil de atravesar y sin ciudades o pueblos en los que hacer escala y reponer fuerzas, comida y bebida. Pero al sur de ese desierto volvía a haber vida. Era una vida también dura y poco avanzada, eso sí, pero había hombres y mujeres de piel más oscura a los que era posible convertir en esclavos, animales salvajes y peligrosos que podían servir de diversión si se organizaban sangrientos espectáculos con ellos, y también productos deseados por los habitantes de las orillas del Mediterráneo: maderas preciosas y metales, como por ejemplo el oro. Era pues necesario organizarse muy bien para atravesar el Gran Arenal y traer esos productos a zonas más civilizadas, donde eran muy valorados y se pagaban altos precios por ellos. De esa forma se iniciaron intentos para atravesar el gran desierto, y tras muchas tentativas se llegó a la conclusión de que organizando grandes caravanas mediante el empleo de camellos y dromedarios era posible franquear aquellos inhóspitos parajes y volver cargado de riquezas de las húmedas tierras del sur. Surgió así un nuevo tipo de comercio en el que no solo se podían exportar las riquezas agrícolas de la zona, en especial su trigo, su vino, su aceite o los frutos de sus árboles, sino también otros productos más desconocidos, más raros, y por lo tanto más caros.

Este territorio donde se ubicaba Útica se hallaba en un lugar estratégico, casi a mitad de camino entre un extremo y otro del Mediterráneo. Tenía también muy cerca la costa norte del mismo mar, pues la península Itálica se encuentra no muy alejada del mismo, y además, para mayor fortuna, existe una gran isla entre ambos llamada Sicilia, con lo cual se facilitaba aún más este comercio. Era pues una pena no aprovechar más convenientemente la excelente posición que ofrecía la costa del norte de África en este lugar, y ocupar con mayor intensidad el territorio. Los fenicios tardaron tiempo en conseguir esto, pero a finales del siglo IX a.C. decidieron dar un nuevo paso en su proceso de ocupación del sector y observaron un lugar mucho más estratégico que el que servía de asentamiento a la antigua Útica. Un poco más al este, existía una península que termina en un promontorio, al fondo del cual se encuentra una bahía abierta al Mediterráneo. Esta bahía está dominada en su desembocadura por una elevación desde la que es relativamente fácil controlarla, y está unida al resto del continente por un istmo amplio y plano. Ocho siglos más tarde, el escritor griego Estrabón la comparó con "una nave con ancla", definiéndola así con gran precisión, pues en efecto, su forma vista desde el aire, se asemeja a la del ancla de un barco.

Además, el lugar donde se emplazó la ciudad no solo poseía esta tranquila y amplia bahía por su parte oriental, sino que también estaba rodeado por un lago en su parte occidental, aunque hoy la línea de costa ya no es igual a la que existía hace tres mil años. Eran muchas ventajas para desperdiciarlas. Los fenicios, con el tiempo, acabaron por construir una triple muralla de 25 metros de altura por diez de anchura, con una longitud de cuatro kilómetros por la parte más estrecha del istmo. Ese espacio interior lo planificaron convenientemente con un adecuado diseño urbanístico. En él

En el Barroco se representaron varias veces la fundación de Cartago por la reina Dido y sus amores con el troyano Eneas. Como muestra el cuadro de Claudio de Lorena titulado *Vista de Cartago con Dido y Eneas saliendo a cazar* (1678), que se encuentra en la Kunsthalle de Hamburgo .

se mezclaban una serie de modelos urbanos que ellos conocían, existentes en la costa siria y palestina, y le dieron un diseño racional al plano de las calles y los edificios.

La tradición dice que la fundadora de esa ciudad fue la hermana del rey de la ciudad fenicia de Tiro, que se llamaba Dido, o Elisa, según otra versión; y en torno a ella se elaboró una clásica leyenda según la cual Dido se enamoró de Eneas, un joven que había huido de la ciudad de Troya al ser esta conquistada e incendiada por los griegos. Pero Eneas tenía que cumplir su destino, que no era otro que fundar una ciudad más al norte, de manera que abandonó a Dido y esta acabó suicidándose al ver que el hombre que amaba se iba de su lado. La leyenda no pasa de ser eso, una mera leyenda. Si realmente existieron Dido y Eneas (sobre los cuales se escribieron bastantes obras literarias siglos después) no es posible que vivieran en la misma época, pues la caída de Troya

También Turner, el gran pintor inglés, dedicó una de sus obras a la mítica fundación de Cartago por Dido y Eneas. Esta obra, llamada *Dido construye Cartago*, fue pintada en el año 1815 y actualmente se encuentra en la National Gallery de Londres.

tuvo lugar en el siglo XII a.C. (en el año 1186 a.C., según la tradición), mientras que la fundación de Cartago tuvo lugar en el 814 a.C. Había pues más de tres siglos de diferencia entre un acontecimiento y otro, pero este tipo de leyendas eran del gusto de las gentes cultas del mundo antiguo, y una serie de escritores como el romano Virgilio, que vivió en el siglo I a.C., las cultivaron.

Esa misma leyenda habla también de que Dido solicitó un determinado espacio a los habitantes que vivían en el lugar cuando ella llegó. Estos le dijeron que solo podría ocupar tanto espacio como aquel que fuera capaz de cubrir con una piel de toro. Dido, a quien no le faltaban los recursos ni la imaginación, cortó la piel de toro que iba a servir como patrón de referencia en tiras muy largas y finas. A continuación extendió estas tiras por el suelo todo lo que pudo hasta acabar ocupando el amplio espacio en el que se fundaría Cartago.

La Cartago púnica

El nombre de Cartago, o Carthago como fue más conocida en el mundo antiguo, proviene de dos palabras fenicias, *Qart*, que significa 'Ciudad', y *Hadash*, que quiere decir 'Nueva'. Así, Cartago podemos traducirlo por 'Ciudad Nueva', y a sus habitantes podemos llamarlos cartagineses. Sin embargo, los romanos prefirieron denominarlos de otra forma, púnicos, aunque por el contrario conservaron el nombre de Cartago para la ciudad. La palabra *púnico* procede de *poeni*, o en su versión griega, *phoeni*, de la que a su vez se deriva el nombre de *feni* o 'fenicio'. Esta palabra significa en el antiguo idioma griego 'rojo', y su origen hay que buscarlo en el color del producto que dio la mayor riqueza y fama a los fenicios en el mundo antiguo. En las costas del Mediterráneo oriental es frecuente la existencia de un tipo de molusco llamado Murex. Este es un caracol cuyo caparazón interior segrega un tinte de color rojo que permanece adosado a la parte interior del mismo durante toda su vida. Los fenicios, o quizás algún otro pueblo anterior, habían descubierto que hirviendo estos caracoles en agua caliente durante varios días esa sustancia se acababa desprendiendo del caparazón, y con ella se podía obtener un tinte de color rojizo, al que llamaron púrpura. Este tenía la virtud de que al teñir los vestidos, les daba una tonalidad muy atractiva, y tardaba muchísimo tiempo en desaparecer, a pesar de que se les lavase continuamente.

El problema es que, para extraer un solo kilogramo de esta sustancia, era preciso hervir a más de ciento veinte mil moluscos. La púrpura fue por tanto un colorante carísimo y muy apreciado en todo el mundo antiguo. Lo fue tanto y su precio tan elevado que los únicos que se podían permitir su adquisición a gran escala fueron los reyes y los emperadores. De ahí que, frecuentemente, se utilice el nombre de "purpurados" al referirse a ellos, ya que eran los únicos que podían utilizar prendas de este color con cierta asiduidad. La producción de la púrpura fue uno de los secretos mejor guardados por los fenicios y por sus herederos directos, los cartagineses. Su comercio les proporcionó enormes beneficios mientras fueron capaces de mantener en secreto el monopolio de su producción.

En poco tiempo, gracias al comercio de púrpura y de otros objetos, a las caravanas que atravesaban el desierto y a la riqueza agrícola de la zona en la que se asentaba, Cartago se convirtió en una ciudad rica y próspera. La población crecía de tal modo que entre los siglos VIII y VI a.C. hubo que ampliar dos veces su muralla original para dar cabida dentro de la misma a las personas que continuamente afluían a la ciudad. Era necesario proteger convenientemente al conjunto urbano, de manera que en los cuarteles de la misma era posible albergar a más de veinte mil soldados para la defensa de la ciudad. Una de las claves de este éxito, y de su pervivencia posterior como un gran núcleo marítimo y militar, fue la construcción de dos puertos, uno comercial y otro militar. Este último resultó ser una de las grandes obras de ingeniería del mundo antiguo. Se trataba de un puerto interior, bastante cerrado al mar salvo por una estrecha abertura, con un amplio dique de gran altura que impedía a cualquier flota enemiga divisar desde el mar a los barcos o cualquier actividad que se desarrollara dentro del recinto. A través de una angosta bocana, se accedía a un gran espacio de carácter circular en el centro del cual se disponía una amplia isla, en torno a la cual se

Reconstrucción de la torre central que existía en el puerto militar de Cartago, bajo cuyo volumen se resguardaban los barcos cartagineses para su reparación o custodia.

amarraban, o se refugiaban en caso necesario, los barcos.

La isla central poseía una torre elevada desde la cual era posible contemplar las evoluciones de cualquier flota enemiga que se acercara a la ciudad. Mientras tanto, los barcos cartagineses estaban protegidos por construcciones bajo las cuales se podían guarecer y quedar así a salvo de cualquier intento exterior de causarles daño, fuera por bolas incendiarias, catapultas o por cualquier otro medio. Era una especie de gigantesco "garaje cubierto" para barcos.

Este extraordinario puerto aún se conserva en parte, pero la línea de costa se ha modificado sustancialmente en estos casi tres mil años, y parte de él se ha visto cegado por sedimentos, mientras que otra parte ha sido destruida por el avance del mar.

En aquella época, el lugar más importante de la ciudad era la colina de Byrsa, o Birsa. En ella las excavaciones han hallado talleres metalúrgicos, grupos de viviendas y hasta una necrópolis. El problema es, como tantas veces pasa en otras ciudades de la antigüedad, que la destrucción a la que la sometieron posteriormente los romanos fue tan intensa que apenas nada quedó de ella, Y es más, al construir después una nueva ciudad sobre la antigua, esta acabó prácticamente desapareciendo por completo y casi nada sabemos en la actualidad de ella, ya que apenas se han conservado restos.

Cartago fue en principio una colonia de Tiro, que era la principal ciudad de la costa fenicia, y mientras esta se mantuvo en lo alto de su poder, Cartago se comportó como una ciudad de segundo orden dependiente de su metrópolis. Pero Tiro se encontraba en una de las zonas más conflictivas del mundo antiguo (y casi estamos tentados a decir que también del mundo moderno, pues tal parece que es el sino desdichado de esa tierra) y cayó varias veces en poder de estados enemigos que buscaban sus riquezas. Los asirios la asediaron en el año 701 a.C. Nabucodonosor lo hizo nada menos que durante ¡trece años!, entre el 586 y el 573 a.C.: el asedio más largo que se recuerda en toda la Historia. Ninguno de ellos llegó a tomarla, pero tal situación redujo claramente su importancia y su riqueza. Finalmente, en el año 332, Alejandro Magno la tomó después de "solo" siete meses de asedio, y para ello tuvo que construir un gigantesco espigón que la unió artificialmente a tierra. Con Alejandro acabó la época más brillante de la ciudad. No destruyó Tiro, pero le arrebató su importancia al crear en el norte de África, en la costa egipcia, una nueva ciudad, Alejandría, que la sustituiría como centro comercial marítimo del Mediterráneo.

Esos avatares no pasaron inadvertidos para Cartago. Conforme la antigua metrópolis declinó, la Ciudad Nueva ganó en importancia, y con el tiempo se convirtió en la heredera y en la protectora de las restantes colonias fundadas por los fenicios en el Mediterráneo occidental. Estamos tentados a pensar en cierto paralelismo con nuestra historia actual. Los ingleses colonizaron el territorio de América del Norte, y cuando este se independizó heredó la tradición y la historia de sus antiguos colonizadores. Más tarde, al entrar en crisis y necesitar apoyo estos últimos, sería su antigua colonia la que acudiría en su ayuda, como ocurrió en las dos Guerras Mundiales, y, cuando finalmente estas lleguen a su fin, los antiguos colonizados pasaron a ser la mayor potencia del mundo, sustituyendo a la metrópolis que los colonizó y que se mostraba incapaz de mantener su papel preponderante en el mundo.

Por eso, a partir del siglo V a.C. Cartago fue tomando un protagonismo cada vez mayor en el mundo Mediterráneo. Se hizo con el control del comercio marítimo del estaño y del oro, y obtuvo prácticamente el monopolio de la púrpura. Esto, unido a que comenzaron a cobrar elevados impuestos a las colonias que protegían, y a que su producción agrícola era cada vez más abundante y se exportaba por todos los puertos mediterráneos, hizo que el nivel de vida de la ciudad creciera continuamente. De esta forma, comenzaron a construirse grandes monumentos en el interior de la ciudad de los que, desgraciadamente, casi nada nos ha llegado, como ya hemos visto. Así se inició la edificación de santuarios al aire libre, llamados *thopets,* como el de Baal Hammón, el dios supremo protector de la ciudad, y posteriormente el de la diosa Tanit.

Cuando estos lugares se han excavado modernamente, los arqueólogos han encontrado en ellos restos de los cadáveres de miles de niños. Según una antigua interpretación romana, los cartagineses sacrificaban niños recién nacidos, e incluso adolescentes, como ofrenda a los dioses. Los antiguos escritores romanos consideraban esto como una atrocidad, y se encargaron de transmitirlo a la posteridad con gran detalle para que otros pueblos tuvieran conocimiento de las barbaridades que realizaban los cartagineses. Pero los modernos investigadores ponen en duda que este hecho fuera realmente así, tal y como nos lo contaron los historiadores del mundo romano. Piensan que más bien esas informaciones eran el tipo de propaganda destinado a contar el salvajismo del enemigo, como una forma de convencer a sus propios soldados y a su propio pueblo de que combatían para evitar semejantes costumbres bárbaras. Según estos mismos investigadores, parece ser que la enorme cantidad de restos y de cenizas encontradas en las excavaciones de estos santuarios proceden de niños y adolescentes, en efecto, pero, en su opinión, creen que debieron morir de muerte natural, en una época en la que la mortalidad infantil era elevadísima. Es probable que debido a algún tipo de culto a los difuntos, y en especial a los niños, se enterraran conjuntamente en los templos a todos los que habían fallecido, de ahí la gran cantidad de restos que se han hallado en las excavaciones. Este hecho es el que de forma novelada mostró el escritor francés Gustave Flaubert cuando escribió en el siglo XIX su novela *Salambó*, a la que ambientó en el Cartago de mediados del siglo III a.C., a caballo entre las dos guerras púnicas.

Cartago durante las Guerras Púnicas contra Roma

Entre el año 264 y el año 146 a.C., Cartago libró tres épicas guerras contra el naciente poderío romano. Ese enfrentamiento colosal, que recibe entre los historiadores la denominación de Guerras Púnicas, dirimió la supremacía sobre los territorios del Mediterráneo occidental, cuyo resultado, tras más de un siglo de lucha, fue que Roma se alzó como triunfadora de tan titánico combate.

Cuando comenzó la primera guerra, Cartago era una ciudad floreciente y rica, pero cuando terminó, sus finanzas se hallaban casi arruinadas, perdió buena parte de sus territorios (todas las grandes islas del Mediterráneo) y tuvo que hacer frente a una dura insurrección de sus antiguos mercenarios.

Pero pese a estas desgracias, Cartago tuvo la suerte de encontrarse con una familia de grandes militares, los Bárquidas, entre los que destacó Aníbal. Este preparó al ejército cartaginés para una nueva lucha. A pesar de los desastres sufridos, Cartago era todavía muy poderosa. Se calcula que hacia el año 220 a.C. la ciudad podía tener cerca de 150.000 habitantes. Estaban apareciendo nuevos barrios en sus alrededores, y su comercio se expandía gracias a la explotación de nuevas minas en la península Ibérica.

Pero en el año 201 a.C., Cartago había vuelto a ser vencida por Roma. Aníbal había regresado a la ciudad después de haber tenido a Roma al borde de la derrota, y hubo de hacer frente al pago de una enorme deuda que le exigían los romanos para mantener la paz. Esta se tasaba nada menos que en 10.000 talentos. Para que nos hagamos una idea, se ha calculado que un talento de aquella época (una unidad monetaria de medida de entre 27 y 34 kilos de plata o de oro, según los lugares) era el equivalente en la actualidad a algo menos de medio millón de euros, aunque estas comparaciones son siempre muy relativas y difíciles de establecer. Si aceptamos semejante cambio, quiere eso decir que Cartago tuvo que pagar a Roma el equivalente actual a la elevada cantidad de cerca de 5.000 millones de euros.

En cualquier caso, la principal consecuencia de la segunda guerra entre romanos y cartagineses fue la consiguiente ruina de la ciudad. Es posible que, en estas circunstancias, cualquier otra población se hubiera venido abajo y hubiera acabado por desaparecer. Pero Cartago no era así. Sorprendentemente para los romanos y para todo el mundo, los cartagineses pagaron la contribución a los romanos, renunciaron a su ejército y, a partir de ese momento, libres de las cargas económicas que suponían el mantenimiento de un ejército poderoso, centraron sus intereses en la recuperación y el posterior desarrollo económico de su ciudad, y lo hicieron tan eficazmente que pronto los romanos volvieron a temerlos.

Aníbal fue el primer encargado de recuperar Cartago y su economía. Reorganizó las finanzas, impulsó nuevos cultivos, creó una flota comercial para incrementar el comercio… la ciudad creció, aparecieron nuevos barrios entre los que destacó el que el propio Aníbal creó en torno al templo del dios Eshmun. Este barrio se caracterizaba por poseer unas viviendas que se abrían directamente a las calles (que tenían unos seis o siete metros de anchura) mediante un corredor principal que conectaba la puerta exterior con un patio central, en torno al cual se desarrollaba la vida familiar. En la parte baja de la vivienda se ubicaban las habitaciones de servicio, la denominada "sala del agua" y los salones de recepción o de comida. En la parte alta se situaban los dormitorios. Estas viviendas tenían un pavimento con mosaicos, en los que destacaban los dibujos con motivos geométricos o con símbolos protectores de la diosa Tanit.

La ciudad, libre de los onerosos gastos de guerra que habían asfixiado su economía, se recuperó y creció con una gran rapidez. Lo hizo hasta tal punto que los romanos se asustaron de su nueva prosperidad y exigieron que Aníbal, su gran enemigo, se retirara del gobierno de la ciudad bajo la amenaza de declararles de nuevo la guerra. Aníbal lo hizo para evitar un nuevo enfrentamiento. Se marchó a Asia Menor, la actual península de Anatolia, y allí puso fin a sus días suicidándose antes de que los vengativos romanos lo pudieran apresar.

Cartago siguió floreciendo, con y sin Aníbal. A pesar del control romano y de todas las trabas que estos le ponían, la ciudad se recuperaba, y medio siglo después contaba ya probablemente con cerca de 200.000 habitantes. Fue en esa época, hacia el año 153 a.C., cuando el senador romano Catón la visitó. Y se quedó tan profundamente preocupado de la prosperidad que allí percibió, que cuando regresó al Senado romano propuso insistentemente que había que destruir a Cartago antes de que la ciudad volviera a convertirse en una nueva amenaza para Roma. Tal fue su obsesión que se dice que cuando acababa un discurso, fuera cual fuera su contenido, siempre finalizaba con la misma frase: "*cetero censeo, delenda est Carthago*", que quiere decir, "... por lo demás opino, que Cartago debe ser destruida".

Las palabras de Catón no cayeron en saco roto, los romanos estaban cada vez más preocupados por la riqueza de la ciudad, y aún recordaban que los cartagineses habían estado a punto de vencerlos hacía casi un siglo. Por eso, cuando Cartago le dio el más mínimo argumento a Roma para atacarla (repararon sus antiguas murallas temiendo un ataque del rey de Numidia llamado Massinissa), los romanos tomaron aquello como una ofensa y atacaron Cartago tras darle un ultimátum, que estos no aceptaron.

Durante tres años, los romanos asediaron de nuevo a la urbe, que se defendió con la desesperación propia de quien se sabe perdido y lucha a sabiendas de que la derrota definitiva supondría el final de la ciudad y de todos sus habitantes. La conquista de Cartago resultó enormemente difícil para los romanos. Los cartagineses transformaron sus templos en talleres para fabricar armas, el puerto se reparó y se fortificó convenientemente. También se hizo lo mismo con los viejos muros de la ciudad. Pero nada sirvió, el cerco romano se fue estrechando poco a poco y, en el 146 a.C., los romanos penetraron en la misma destruyéndolo todo, matando a todo aquel que oponía resistencia y cogiendo prisioneros al resto de la población superviviente para venderlos posteriormente como esclavos. La venganza romana no tuvo piedad. Se desmanteló prácticamente toda la ciudad, destruyéndose hasta sus cimientos los templos y sus principales edificios. Se incendió todo lo restante, e incluso en un acto de barbarie y de nula civilización, se dice que incluso se esparció sal por sus campos para que nunca más se pudiera cultivar en ellos. Toda esta destrucción se completó con un decreto que prohibía a cualquier antiguo ciudadano cartaginés regresar a las ruinas de la ciudad bajo pena de muerte.

El nuevo Cartago romano

Fue una venganza cruel y excesiva. Pero ni todos los deseos de acabar con un lugar y con su historia pueden tener éxito cuando se trata de una zona privilegiada y rica, y el solar de la antigua Cartago lo seguía siendo a pesar de que esta hubiera ya desaparecido. Desperdiciar el fondeadero natural que era la bahía y su puerto era un lujo que ni siquiera una furiosa y vengativa Roma se podía permitir. Y así, pocos años después de su destrucción, se permitía que un núcleo de colonizadores romanos se asentaran entre sus ruinas fundando la denominada Colonia Junonia. Esta se mantuvo a duras penas entre los años 121 y 91 a.C., pero luego fue abandonada al ver que no prosperaba. Los efectos de la destrucción romana pervivieron durante un siglo sobre el emplazamiento de la antigua Cartago.

Cuando Julio César, en su lucha contra el bando pompeyano, visitó la zona, se dio cuenta de que aquel fondeadero natural, y aquel promontorio tan estratégicamente situado en una fértil región no debería estar abandonado, por eso ordenó en el año 46 a.C. que se construyera allí una nueva colonia romana a la que llamó Colonia Iulia Concordia Carthago. En poco más de quince años, la colonia estaba ya en plena actividad y cuando Octavio la inauguró en el año 29 a.C. con el nombre reducido de Colonia Iulia Carthago ya era de nuevo una ciudad de dimensiones considerables. Al ser un centro de una región de alta producción, se convirtió en poco tiempo en uno de los graneros que abastecía de trigo a la creciente población de la ciudad de Roma.

César dispuso que el plano de la ciudad respetase el clásico trazado urbano de las ciudades griegas en forma de diseño hipodámico. Esto es, con calles rectas que dividían a las manzanas de forma uniforme, y que segmentaba a la ciudad en barrios perfectamente delimitados unos de otros. Cartago dispondría desde entonces de dos grandes ejes viarios, el Cardo Máximo y el Decumano Máximo, que se cruzaban justo en la colina de Byrsa. En esta se ubicaba el foro principal de la ciudad, y en él se hallaba el centro del poder político, cultural, religioso, militar y administrativo de la urbe. Visto desde el aire, el plano de Cartago debía tener una forma parecida a la de un tablero de ajedrez.

Octavio Augusto, ya convertido en el primer emperador romano, fomentó la llegada cada vez más numerosa de campesinos romanos a la nueva colonia. Pronto esta era ya un emporio parecido al que había sido anteriormente, con la salvedad de que ahora era una ciudad cultural y administrativamente romana, que en poco se parecía a la que había existido en tiempos de Aníbal.

Hacia el año 100 d.C., se calcula que en Cartago podían vivir ya más de 100.000 personas, y que en su área de influencia próxima quizás residieran un total de 300.000 o 350.000 habitantes, que cultivaban los fértiles campos de su entorno. Pero durante el siglo II, la ciudad creció todavía a un ritmo mucho mayor, hasta el punto de que hacia el año 200 había quien estimaba su población nada menos que en cerca de 400.000 habitantes. Estos podían aumentar hasta una cifra entre 500.000 y 700.000, si se tenía en cuenta todas las villas y suburbios que habían surgido extramuros, como por ejemplo el barrio de Magón, que supuso un importante crecimiento del espacio edificado en Cartago. Era quizás en ese momento la segunda ciudad del imperio después de la propia Roma, y a un nivel parecido al de Alejandría y probablemente al de Antioquía.

El crecimiento demográfico fue paralelo al crecimiento urbano y monumental. En este tiempo se dotó a la ciudad de circos, odeones, hermosas villas con mosaicos de extraordinaria calidad (que hoy pueden contemplarse en el Museo del Bardo, en la ciudad de Túnez), teatros, anfiteatros (como el denominado posteriormente "de los Mártires", del que se cuenta que podía tener una capacidad para 36.000 espectadores), etc. Pero, sobre todo, la construcción más importante fue la de unas impresionantes termas que se edificaron en la época del emperador Antonino Pío, entre los años 145 y 162. Su techo se sostenía con columnas que medían más de 15 metros de altura.

Todo esto no hubiera sido posible sin un abundante abastecimiento de agua a una población que tradicionalmente era deficitaria de ella. Para resolver este problema, el emperador Adriano emprendió a partir del año 118 la construcción de un enorme acueducto que trajera el preciado líquido desde los manantiales de Zagouan, a nada menos que 114 kilómetros del lugar donde estaba Cartago. Este acueducto abastecía sobradamente a Cartago con una capacidad de casi 32 millones de litros de agua al día, y gracias a su existencia pudieron construirse posteriormente las gigantescas termas. En la propia Cartago existían quince depósitos o cisternas en el sector de la Malga, desde donde se distribuía el agua por la ciudad mediante un *Castellum Aquae*. Este acueducto es el mayor de todos los tiempos en cuanto a su recorrido, y aún se conservan algunas partes del mismo. Sin él hubiera sido imposible que en Cartago se hubiese establecido una población tan numerosa.

El acueducto de abastecimiento a Cartago es el mayor que se construyó en todo el mundo antiguo en cuanto a su longitud se refiere. Llegó a alcanzar un recorrido de nada menos que 114 kilómetros desde el lugar del que manaba el agua.

Desde Cartago, el mundo romano se abastecía de trigo para fabricar pan, de aceite, vino, naranjas, dátiles y otros productos agrícolas. Pero también de fieras para los espectáculos del circo, que traían las caravanas procedentes de la sabana africana, así como de esclavos negros, que servían como gladiadores o que se utilizaban en los trabajos más duros y más difíciles, como por ejemplo en las minas o en los remos de las trirremes romanas.

Los vándalos de Genserico conquistan Cartago

En el siglo III casi todo el mundo romano sufrió las consecuencias de una terrible crisis que se extendió por la mayor parte del ámbito mediterráneo. Cartago no fue una excepción. Además de experimentar los mismos problemas que el resto de las ciudades de su época (subida de impuestos, emigración al campo, crisis económica, comercial y demográfica, etc.) la ciudad tuvo también que soportar los ataques de los pueblos bereberes del sur, y fue el lugar donde se desarrollaron las luchas internas entre los cristianos. Herejías como el donatismo (que defendía que solo los sacerdotes de conducta intachable podían administrar los sacramentos) acabaron también agravando la crisis y su despoblación, a consecuencia de los enfrentamientos que tenían lugar entre las facciones cristianas en el interior de la propia ciudad, que llegaron a alcanzar gran virulencia en épocas posteriores.

Debido a su importancia, Cartago fue desde los primeros tiempos del cristianismo un centro importante de difusión de la nueva religión. El propio San Agustín de Hipona, uno de los padres del cristianismo, estudió y se formó allí en la segunda mitad del siglo IV. Su vida acabaría también muy cerca de Cartago, cuando los vándalos asediaban en 429 la ciudad en la que se había refugiado y de la que toma su nombre.

A pesar de la crisis, Cartago seguía manteniendo parte de su antigua importancia y esplendor a principios del siglo V. Pero en esa época, comenzaron las invasiones a gran escala de los pueblos bárbaros. Uno de esos pueblos, los vándalos, había saqueado en la década de los años 20 de ese siglo las tierras del sur de Hispania. Alentados por los bizantinos en un intento de debilitar aún más a la parte occidental del imperio, les cedieron barcos para que se asentaran en el norte de África, y allí llegaron a partir del año 425. Durante catorce años, los vándalos fueron conquistando poco a poco todas las ciudades de este sector, y, finalmente, en 439, le llegó el turno a Cartago.

La ciudad norteafricana resistió lo que pudo, pero el mundo que la había creado se estaba derrumbando con rapidez, y Cartago, sin capacidad de aguantar un largo sitio, acabó rindiéndose a los invasores. Estos, al mando de su caudillo Genserico, observaron asombrados la nueva ciudad conquistada, y con una mente práctica y carente de cualquier otra consideración, decidieron destruir el magnífico complejo de las termas de Antonino pues pensaron, probablemente no sin razón, que aquel enorme edificio podría ser, convenientemente preparado, una fortaleza desde la cual dirigir la resistencia contra los nuevos amos por parte de los derrotados cartagineses. De esta forma se demolió irreparablemente lo que era seguramente el edificio más monumental de la ciudad.

Restos de las gigantescas termas de Antonino. Los vándalos decidieron destruirlas en su mayor parte, ya que pensaron que podían servir de refugio a los cartagineses en el caso en que estos decidieran rebelarse contra los nuevos conquistadores.

A cambio, el astuto Genserico hizo una aportación inesperada a Cartago. Utilizando una hábil estratagema, desplazó a sus hombres en numerosas naves hasta la ciudad de Roma, y allí, mediante la traición, consiguió atravesar sus murallas y someterla a un terrible saqueo. Si hacemos caso a los cronistas de la época, Genserico se llevó una enorme cantidad de tesoros de la que hasta entonces era la capital del mundo romano de occidente. Entre esos tesoros, se cuenta que Genserico se llevó a Cartago el famoso candelabro judío de los Siete Brazos, que, como vimos, las tropas de Tito habían transportado a su vez a Roma en el año 70, tras sofocar la primera rebelión judía.

BIZANTINOS Y MUSULMANES: LA DESTRUCCIÓN FINAL DE CARTAGO

Estos tesoros no llegaron a cumplir el siglo de existencia en Cartago. En Constantinopla, la nueva capital del Imperio romano de Oriente, un emperador de gran capacidad había subido al trono, Justiniano, y se propuso nada menos que el descomunal plan de reconquistar todo lo que hasta un siglo antes había pertenecido al Imperio romano de occidente. En este ambicioso intento, le tocó el turno a Cartago en el año 535. La ciudad aún debía mantener parte de su antigua grandeza. Se supone que todavía vivían en ella unas 100.000 personas, y que poseía grandes riquezas que los vándalos habían arrebatado a la Ciudad Eterna. Justiniano mandó a Belisario, su mejor general, a conquistar Cartago, y este consiguió tomar la ciudad después de una campaña afortunada. Probablemente lo que quedara del tesoro romano saqueado por Genserico debió volver a la capital del

Imperio romano, pero esta ya no se encontraba en la propia Roma.

Durante más de un siglo, Cartago estuvo en poder de los bizantinos, y aunque su importancia se iba perdiendo poco a poco, todavía mantenía la parte del esplendor que había tenido en siglos anteriores. Pero en el año 670 una nueva religión estaba haciendo su entrada en la Historia con una fuerza inusitada. Se trataba del islam, que pocas décadas antes había predicado el profeta Mahoma en la península arábiga, como ya hemos visto en capítulos anteriores. Los musulmanes costearon el territorio libio procedentes de Egipto, y penetraron en los dominios bizantinos de Cartago por el sur. En el año 670 atacaron la ciudad y poco después la tomaron, pero los bizantinos, con una constancia admirable, la volvieron a recuperar en el año 698. Los musulmanes no se arredraron por ello y en el 702 se hicieron de nuevo con el control de la misma, tras derrotar a la reina bereber Kahina, que había encabezado la lucha contra el islam.

Pero entre tanta lucha, los escasos edificios que quedaban intactos se fueron derrumbando poco a poco. La ciudad debía ser una sombra de lo que había sido anteriormente, y según las crónicas de la época era ya un montón de escombros y ruinas tras el paso de los vándalos, bizantinos y musulmanes. El último ataque dirigido por el caudillo musulmán Ibn Numan, probablemente entre el 702 y el 704, la degradó de tal forma que el posterior incendio hizo ya casi imposible su recuperación. Además Ibn Numan, decidido a dar un escarmiento a los tercos bizantinos, masacró a la mayor parte de sus habitantes, dejando el territorio prácticamente despoblado. De ahí que, en el año 705, los musulmanes tomaran la decisión de abandonarla definitivamente y crear una nueva capital en uno de los suburbios

Fotografía aérea que muestra hoy cómo el solar en el que se asentó la antigua Cartago está siendo ocupado por el crecimiento actual de la ciudad de Túnez.

más alejados de la misma que se llamaba Tunes, y que hoy conocemos por Túnez. Cartago tenía ricos materiales de todo tipo a disposición de la nueva ciudad, y pronto sus mármoles, sillares, columnas, mosaicos, etc., fueron trasladados a la nueva ubicación para la construcción de la capital musulmana. De esta forma, la antigua Cartago era abandonada y expoliada, sirviendo como cantera para las edificaciones de la actual Túnez.

Hoy día la mayor parte de sus restos permanecen ocultos bajo cultivos, residencias secundarias de la burguesía tunecina, e incluso bajo el palacio presidencial de los jefes de Estado de Túnez. Aún quedan por descubrir buena parte de sus monumentos. El único importante de los hallados corresponde a una parte de las termas de Antonino, que vieron de nuevo la luz después de 1.500 años enterradas, cuando una misión arqueológica estadounidense los excavó tras finalizar la Segunda Guerra Mundial.

6

El desarrollo de las grandes ciudades en el continente asiático y americano durante la antigüedad

El fenómeno urbano en las culturas del Oriente asiático. Las ciudades de la India: Pataliputra/Patna, una gran ciudad en el país más poblado del mundo antiguo

Las culturas del Extremo Oriente asiático han albergado a lo largo de la mayor parte de la Historia las civilizaciones más desarrolladas de todo el mundo, con la excepción de los dos últimos siglos. Por lo tanto, también han acogido la mayor parte de las grandes ciudades de todos los tiempos y, por extensión, a la inmensa mayoría de la población del planeta. Las investigaciones realizadas por los demógrafos demuestran que, al menos hasta el siglo XVIII, de cada tres personas que vivían en el mundo, una residía en India (básicamente en la cuenca de los ríos Indo, Ganges y Brahmaputra); otro tercio vivía en China, en concreto en las grandes llanuras aluviales del Ho Ang Ho (también transcrito como Huang He) y del Yang Tse Kiang o Yangtze, y el tercio restante se distribuía por el resto del mundo. Hoy día esta situación ha cambiado, pero no mucho. China, con cerca de 1.400 millones de habitantes, e India, con casi 1.200, siguen albergando entre ambas a un tercio de la población mundial, si bien es cierto que su importancia demográfica relativa ha descendido en los últimos tres siglos. Y de la misma manera que en estos reducidos territorios se apiñaban (y se hacinan todavía) enormes masas de población, no lo es menos que en ellos, desde al menos el II milenio a.C., se han ubicado también las mayores aglomeraciones urbanas de todos los tiempos.

Cabe pues preguntarse por qué nos resultan tan conocidas las metrópolis europeas o americanas, y tan poco las chinas o indias. Pues por una sencilla razón. Los seres humanos tenemos tendencia a magnificar lo que nos rodea, y a despreciar o a olvidar aquello que es lejano. Por eso, cuando se han estudiado, se han analizado o se han explicado cuáles son o han sido las grandes ciudades del mundo, europeos y americanos han tendido a engrandecer las suyas y, por el contrario, a menospreciar o infravalorar aquellas otras de culturas que, o bien han caído bajo su dominio, como la de India, o bien han sido despreciadas como sociedades decadentes y cuya importancia había que minimizar, como el caso de la civilización china.

La Historia que conocemos se ha escrito fundamentalmente en los dos o tres últimos siglos, cuando China e India eran restos decadentes de imperios que sin embargo, en el pasado, habían superado a europeos o americanos en casi todas las facetas del saber, de la cultura y de la civilización. Han sido por tanto europeos y americanos quienes han escrito recientemente la Historia del mundo. Y esa es la que todavía conocemos hoy de forma bastante incompleta.

Pero aunque desde aquí no podamos cambiar esa Historia, es preciso al menos dejar las cosas en su sitio. Por eso hemos de dedicarle, siquiera a título de ejemplo, unas breves páginas a sintetizar en una de sus ciudades la grandeza y la importancia que, desde hace cuatro mil años, han tenido las grandes metrópolis de oriente, como centros de organización del espacio y como forma de poder, en el mundo asiático más lejano a nosotros.

Hemos escogido en este caso el ejemplo de la ciudad india de Pataliputra, a la que actualmente se conoce con el nombre de Patna. Pataliputra fue durante los siglos inmediatamente anteriores a la era cristiana una de las mayores ciudades del mundo, y de las más habitadas, aunque apenas sepamos algo de ella, y apenas nos queden en la actualidad unos simples y escasamente cuidados restos de su pretérita grandeza. Podríamos haber seleccionado también alguna ciudad china, como su antigua capital Lo Yang, o cualquier otra, como la gigantesca Chang An (transcrita asimismo como Changan y, en la actualidad, más conocida como Xi'an o Si-ngan e incluso Sian), pero sería tal vez más correcto enclavarlas en una historia de las ciudades medievales, y nos contentaremos con presentar aquí el caso de la antigua capital del Imperio de la dinastía Maurya como ejemplo más representativo de lo que fue el desarrollo urbano en esta zona del mundo.

La tradición urbana en India no tiene, sin embargo, tanta antigüedad como en el Oriente Próximo. Las primeras grandes ciudades indias aparecieron a mediados del III milenio a.C. y lo hicieron en la cuenca del río Indo. Allí, hacia el 2500 a.C., surgieron dos grandes metrópolis para los parámetros de aquella época tan lejana: Harappa y, sobre todo, Mohenjo Daro. Esta fue la primera ciudad en la Historia del mundo que contó, por ejemplo, con un complejo sistema de alcantarillado para la evacuación de las aguas residuales. Se calcula que, en su momento de máximo esplendor, pudo haber albergado a más de 20.000 personas.

Aunque hacia el año 1800 a.C. la civilización del Indo entró en crisis a consecuencia de una serie de factores, y tardó mucho tiempo en recuperarse, ya había iniciado una tradición urbana que cobraría con el tiempo cada vez más importancia. A mediados del I milenio a.C., el territorio que hoy conocemos como India estaba en pleno desarrollo, tanto económico, como demográfico. En aquel lugar estaban apareciendo algunas de las religiones más importantes de la humanidad, como el budismo, el jainismo o el hinduismo. La población, sustentada por un territorio muy fértil, en el que las cosechas se veían favorecidas por las intensas lluvias y el calor, crecía de forma considerable, abastecida por la productividad del suelo y por la abundancia de agua. Las ciudades se convirtieron pronto en centros importantes de poder, y los monarcas y soberanos se asentaron en ellas con el objetivo de controlar mejor sus dominios.

La profecía de Buda

En este contexto, poco después del año 500 a.C., el rey Ajatashatru, soberano del territorio de Maghada (situado en la parte central del norte de India), fundó una pequeña fortaleza sobre una elevación que existía en el curso medio del río Ganges, en el lugar en el que otro afluente de este vertía sus aguas al curso principal. De esta forma, el emplazamiento se convertía en un lugar sumamente estratégico, ya que unía a los dos brazos del río, que podrían ser utilizados en caso de necesidad como obstáculos defensivos ante un ataque enemigo, el hecho de que la abundancia de agua y la fertilidad del suelo permitieran el asentamiento de una numerosa población. La fortaleza recibió el nombre de Pataligrama, en sánscrito, pero en otra lengua más utilizada en esa región, el pali, su nombre fue el de Pataliputta, que acabó siendo el que más fácil resultó a los oídos de los griegos que la visitaron. Estos la conocieron como Palibothra, y finalmente llegó a ser llamada por el resto de los occidentales con el nombre de Pataliputra.

Al principio, su importancia no pasó de ser la de una pequeña fortaleza más a orillas del gran río indio, pero un hecho un tanto anecdótico cambió su historia para siempre. Pocos años después de su fundación, a comienzos del siglo V a.C., pasó por ella Gautama Buda, y al detenerse en el lugar, hizo una curiosa profecía cuyas palabras fueron recogidas por sus discípulos, pues dijo que "aquel pequeño fortín acabaría teniendo un gran futuro, pero que también acabaría siendo arruinado por inundaciones e incendios". No se equivocaba el "Iluminado", y el tiempo acabaría dándole la razón a sus palabras.... si es que alguna vez llegó realmente a pronunciarlas tal y como se nos transmitieron.

Lo cierto es que Pataligrama, o Pataliputra, como a partir de ahora la nombraremos, se convirtió en un importante centro comercial a lo largo del siglo V a.C. gracias a su excelente situación y emplazamiento. La ciudad crecía con rapidez, pues controlaba desde su posición central buena parte de las rutas comerciales que cruzaban el territorio indio. Su seguridad defensiva era también un argumento importante para esta consolidación, ya que garantizaba su inexpugnabilidad a quienes en ella habitaban. Esto hizo que poco a poco la ciudad creciera, primero lentamente, y más adelante con una gran rapidez. Se calcula que, después de poco más de medio siglo desde su fundación, aquel pequeño fuerte en la colina junto al Ganges se había extendido por los fértiles terrenos circundantes hasta llegar a englobar a una población cercana a las cien mil personas.

Fue quizás en esta primera época cuando se inició la construcción de uno de los mayores monumentos que conocemos de la urbe, el enorme edificio que han encontrado los arqueólogos y al que se denomina el templo de las Cien Columnas, en referencia al número de elementos sustentantes que poseía. Estas columnas estaban construidas en piedra, con capiteles de arenisca de color pardo, y aún son unos de los restos más llamativos de la ciudad de este primer período.

Si Pataliputra había crecido con rapidez durante el primer siglo de su breve historia, mucho más rápido lo haría a continuación en la centuria siguiente. Su importancia aumentaba de tal forma que en el año 341 a.C., sirvió como sede al tercer gran congreso budista que tuvo lugar en India. Era un reconocimiento a la que ya por entonces era una de las más grandes metrópolis del subcontinente. Junto a esto no se debe descartar que el propio Gautama pasara por ella siglo y medio antes, y se detuviera allí para pronunciar sus proféticas palabras.

Un nuevo acontecimiento vino a hacer más grande la ciudad y a que esta entrara en su momento de máximo esplendor. Después de un siglo de continuas guerras, el reino de Magadha se impuso a los demás reinos indios en la época del rey Chandragupta, que comenzó a reinar en el año

Dibujo que muestra una reconstrucción del templo de las Cien Columnas de Pataliputra.

327 a.C. Seis años después, este estableció su capital en Pataliputra, que de esta forma alcanzó la cúspide de su poder. En aquel momento, la mayor parte de las viviendas de la ciudad estaban construidas todavía en madera, pero pronto los nuevos monarcas cambiarían la faz de esta.

De Chandragupta se cuenta, entre otras muchas historias, que en el magnífico jardín de su palacio mantenía a un elevado número de pavos reales para embellecerlo. La causa de este hecho es que, al parecer, él era descendiente del jefe de una aldea cuyo trabajo principal era precisamente el de cuidar esas hermosas aves.

En ese mismo año de 327 a.C., uno de los más grandes conquistadores que ha visto la Historia se acercó a los límites de los reinos hindúes: alguien a quien ya hemos visto aparecer por estas páginas en varias ocasiones, el macedonio Alejandro Magno, quien sometió el reino de Gandhara, situado al noroeste de India, y, aunque se retiró pronto ante un motín de sus tropas que no querían seguir combatiendo más lejos de su patria, inició de esta forma las relaciones con el mundo oriental. Ambas civilizaciones se beneficiaron mutuamente de este hecho. Una doble corriente cultural comenzó a fluir a través de las mesetas y las costas iranias, y por primera vez en la Historia, la parte occidental y la oriental del gran bloque continental euroasiático se mantuvieron en un contacto permanente, aunque no demasiado intenso, durante varios siglos.

No conocemos mucho sobre la antigua Pataliputra, ni las excavaciones arqueológicas han sido muy abundantes, ni las referencias que nos han llegado de la misma son frecuentes y explícitas, pero en torno al año 300 a.C. un griego, Megasthenes, acudió como embajador ante la corte de Chandragupta, y su relato, que ha sobrevivido gracias a que Estrabón lo recogió posteriormente tres siglos después (ya que la obra original titulada *Indika* se ha perdido), nos habla de la grandeza de la ciudad y su enorme extensión y población. Para magnificar lo contado por Megasthenes, Estrabón hace referencia a que la ciudad poseía una muralla con nada menos que 570 torres y 460 puertas. Es difícil creer estas noticias, máxime cuando quien las escribía no conoció jamás el conjunto urbano al que hacía referencia y su fuente de información había pasado por allí tres siglos antes. En cualquier caso, es más que evidente que la ciudad debía poseer unas dimensiones colosales.

Se ha calculado que a finales del siglo III a.C., en su momento de máximo apogeo, Pataliputra se extendía de forma rectangular con un perímetro amurallado de catorce kilómetros de largo por tres de anchura. En esa enorme superficie podrían vivir perfectamente cerca de 400.000

personas en su época de mayor esplendor, aunque siempre estos datos hay que acogerlos con mucha cautela, porque se trata de simples estimaciones, y no de ningún recuento fiable que se haya conservado de aquel momento.

Pataliputra bajo Asoka: la ciudad más grande del mundo

El nieto de Chandragupta, Asoka, fue uno de los reyes más grandes de India, y con él el Imperio Maurya llegó a su época más brillante. Debió ser en esta época, entre el año 273 y el 231 a.C., cuando la ciudad pasó de estar construida en madera a que la mayor parte de sus edificios fueran realizados con piedra. Asoka fue un gran constructor. Amplió el palacio, que se había comenzado a edificar un siglo antes, y lo terminó de una manera extremadamente suntuosa. Siguió para ello un estilo que muestra una clara influencia del arte persa. Los capiteles de las columnas poseen cuatro leones en lo alto de cada una de ellas. Esta imagen de la época de Asoka, que se repitió por todo su reino, es actualmente el símbolo de la actual India.

Asoka también hizo construir en su ciudad y por todo el reino numerosas stupas, los edificios semiesféricos que aparentan ser montículos artificiales construidos con ladrillos y en su parte superior tienen un remate en forma de florón. Las stupas budistas son monumentos que representan la paz y la meditación para el budismo. Asoka fue un budista convencido. A comienzos de su reinado dirigió a su ejército contra la ciudad de Kalinga para conquistarla. Esta resistió el asedio todo lo que pudo, pero cuando finalmente las tropas de Asoka lograron penetrar en su interior, se dedicaron a hacer una enorme matanza entre los habitantes que se habían refugiado en la misma. Según las crónicas, más de cien mil personas murieron por este hecho. Asoka, al contemplar la horrible matanza, quedó tan impresionado por el dolor y el sufrimiento de los vencidos, que se convirtió en un pacifista convencido y militante. Esta forma de entender la vida se conoce en India con la palabra *Ahimsa*, que significa 'No Violencia', término que dos milenios después rescataría otro gran personaje indio, Mahatma Gandhi. Podemos considerar desde este punto de vista a Asoka como el primer soberano pacifista de la Historia.

Asoka llevó sus ideas no solo a la convicción de que la guerra era la máxima atrocidad que pueden cometer los seres humanos, sino que las extendió también a otros ámbitos de su vida cotidiana. Por ejemplo, pensó que comer carne era algo pernicioso, pues entre otras cosas, había que sacrificar o cazar animales para hacerlo y esto también les provocaba dolor y sufrimiento. De esta manera decidió comer solo vegetales, y también se convirtió así, que sepamos, en el primer soberano al que podemos considerar como vegetariano, siguiendo las prácticas de la religión jainista. Esta costumbre se fue extendiendo entre muchos de sus ciudadanos, y finalmente, lo hizo por todo el mundo en mayor o menor medida, y aún hoy tiene numerosos adeptos. Su filosofía de defensa de los animales lo llevó a cuestiones verdaderamente curiosas. Creó en Pataliputra lo que en su tiempo se llamó un "hospital para animales", precursor de lo que hoy llamamos clínicas veterinarias.

En otro orden de cosas, Asoka se preocupó también por la cultura y en especial por la literatura. Durante su reinado, la escritura noble y culta, el sánscrito de los brahmanes, comenzó a perder terreno, y, por el contrario, la escritura vulgar o popular, el prácrito, se acabó imponiendo sobre el resto de las que se utilizaban en India. Fue también por esta época cuando se debió de escribir la mayor parte del poema épico indio titulado *Maharabhata*, uno de los grandes monumentos de la literatura india y universal, que sin embargo es bastante poco conocido en el mundo occidental.

Cuando Asoka murió, tras más de cuarenta años de pacífico y humanitario reinado en su mayor parte, se cree que Pataliputra había alcanzado los 300.000 habitantes. Esto es difícil de demostrar, y hay investigadores que opinan que la ciudad debía tener solo la mitad de esa población, pero en cualquier caso era probablemente la mayor ciudad del mundo, o al menos una de las más grandes.

La obra de Asoka y la vida de la gran ciudad no resistieron mucho tiempo intactas. Hasta el año 185 a.C. su población continuó creciendo. Probablemente en esa época ya llegaba hasta los 350.000 habitantes, y su área de influencia en torno a la ciudad puede que incluso superara el medio millón de habitantes. Pero determinados pueblos del centro de Asia habían iniciado uno de los habituales procesos migratorios que tenían lugar esporádicamente durante el mundo antiguo. En el año 165 a.C., una rama de las tribus escitas, denominada los kushanas, invadió India y tomó Pataliputra saqueándola. Su población huyó de la ciudad, y este hecho, unido a que los kushanas fundaron una nueva capital a la que llamaron Purusapura, provocó la decadencia de la antigua capital de los Maurya.

No hubo tiempo para la recuperación. Un siglo después sufría una nueva invasión escita y, a mediados del siglo I a.C., fueros los nómadas yue chi los que de nuevo tomaron la ciudad. Debido a todos estos ataques, hacia el año 100 d.C. la población había descendido a solo unos 69.000 habitantes, y en ese momento había otras ciudades en India, como Peshawar (en el actual Pakistán) o Anuradhapura (en la isla de Ceilán, hoy Sri Lanka) que la superaban en población, pues estas tenían más de cien mil habitantes.

Era frecuente que las ciudades del mundo antiguo sufrieran continuos y despiadados saqueos por parte de tribus nómadas en cuanto su gobierno se debilitaba, y Pataliputra no iba a ser una excepción. Es más, dada la riqueza que había albergado y dada la fama que tenía todavía en aquella época, era objeto de codicia por parte de cualquier tribu o pueblo que poseyera un ejército lo suficientemente poderoso como para poder tomarla. De este modo, entre los años 127 y 147 de nuestra era, volvió a sufrir nuevos saqueos y destrucciones, otra vez por parte de los kushanas (que parece que le habían tomado la medida a la ciudad, pues era la tercera vez que la saqueaban en los últimos tres siglos) y también de los nómadas sakas, procedentes de Asia Central. Pero hacia el año 270, los kushanas, que se habían hecho con el control de la parte norte de India, empezaron a su vez a debilitarse, y fueron perdiendo paulatinamente el control del valle del Indo.

DEL APOGEO GUPTA A LA DESTRUCCIÓN POR DIFERENTES INVASORES

Esa pérdida de poder propició que una nueva dinastía los expulsara en el año 319, y que de esa forma tomara el poder en Pataliputra. Eran los Gupta, que llevaron a la ciudad y a su país a un nuevo momento de esplendor, similar al que habían experimentado con los Maurya. En esta nueva etapa, las construcciones de la ciudad alcanzaron un nivel parecido o superior a las de la primera. Se construyó el Kumrhar, un gran palacio cuyo Salón de la Asamblea tenía ochenta pilares de diez metros de altura cada uno. También se reconstruyó el antiguo templo de Durakhi Devi, o de la Doble Casa, con unos excelentes relieves esculpidos en su interior. Otros templos importantes fueron el de Agam Kuan y el de Shitala Devi.

Este momento fue probablemente el del mayor apogeo cultural de la ciudad en toda su historia, y por extensión también, el de todo el país. Una serie de soberanos cultos, ilustrados y preocupados por el saber apoyaron el mecenazgo de las artes, de las ciencias y de todo lo que significara conocimiento y progreso. Sus nombres nos son casi desconocidos y muy difíciles de pronunciar para quien no esté familiarizado con la fonética hindi (Samurdragupta, Kumaragupta, Skandragupta, Chandragupta II...) pero lo importante fueron sus logros, aunque no sepamos que muchos de ellos se los debemos a las personas que en aquella época vivieron en Pataliputra o en sus dominios. Así, en este momento, hacia el año 320, Vatsyayana escribió una de las obras cumbres de la literatura erótica, el *Kamasutra*, que es una de las escasas obras indias que ha alcanzado gran difusión entre los lectores y lectoras del mundo occidental.

Hacia el año 415, el que quizás es el escritor más grandioso de todos los tiempos en India, el gran poeta épico Kalidasa, escribía una de las obras literarias más importantes, *El anillo de Shakuntala*, así como también una amplia obra de una enorme calidad. En el año 499, un matemático de nombre Aryabhatta, escribía un libro al que titulaba *Aryabhattiya*, uno de los textos fundamentales en la historia de las matemáticas. En él, Aryabhatta, que nació, vivió y murió en Pataliputra entre el 476 y el 550 aproximadamente, escribió entre otras cuestiones sobre el sistema de numeración decimal posicional, en el que difundía el uso del cero como número hasta entonces casi desconocido, planteaba la resolución de raíces cuadradas y cúbicas, y proponía mil años antes que Copérnico la teoría de que la Tierra giraba en torno al Sol. La obra de Aryabhatta es fundamental para la historia de la ciencia. A través de ella, su conocimiento llegó a los árabes pocos siglos después, de la mano de otro de los grandes genios de la matemática, Al Jwaritzmi, y, finalmente, desde la Casa de la Ciencia y de la Sabiduría en Bagdad se difundió posteriormente por toda Europa dando con el tiempo lugar a la gran revolución científica que tuvo lugar en este continente a partir del Renacimiento.

Hacia el año 400, el profesor chino Fa-Hein visitó la ciudad, y su descripción es el mejor testimonio que se conserva de la grandeza de la misma en esta segunda etapa. Según el erudito chino, la población superaba los 150.000 habitantes, y la ciudad aparecía llena de monumentos, todos ellos construidos en piedra, algo que no era muy común en la mayoría de las ciudades de la antigua India, y menos en las del valle fluvial del Ganges, donde este tipo de material no es muy abundante. Fueron dos siglos de prosperidad, de paz y de apogeo cultural, los que la dinastía Gupta dio a Pataliputra en particular, y a India en general. Pero de nuevo la felicidad desapareció debido a la llegada de nuevas invasiones de nómadas procedentes de las montañas del norte y de las estepas centro asiáticas. Desde el año 427, los hunos heftalitas o heftalíes estaban haciendo incursiones contra la ciudad. Cuando los reyes de la misma eran fuertes, estas incursiones eran rápidamente detenidas y no tenían mayor trascendencia. Pero la prosperidad no dura siempre, y a partir del 470, cuando empezaron a aparecer problemas de diversa índole, los hunos se volvieron más agresivos y osados.

Y pocas cosas más valiosas había en aquel momento como la floreciente ciudad de Pataliputra. Los Gupta hicieron cuanto pudieron para detenerlos, pero su empuje era demasiado fuerte para frenarlos. Durante el primer cuarto del siglo VI, sus ataques se hicieron más feroces y más eficaces, y finalmente, en uno de ellos, acabaron tomando temporalmente la ciudad en el año 526 y luego definitivamente 18 años después, en el 544. En ese intervalo, los persas sasánidas también hicieron una incursión contra Pataliputra para saquear lo que habían dejado los hunos tras su primer ataque. La dinastía Gupta intentó sobrevivir abandonando la urbe, pero ocho años después, el último de sus representantes fallecía, y con él se acababan las esperanzas de resistir, tanto de los indios, como las de la ciudad en particular. Esta inició de nuevo un rápido, y ya irreversible segundo declive, mucho más acusado que el que experimentó durante el siglo II a.C.

Cuando un siglo después, en el año 634, el monje chino Hsuan Tsang, o Siuen Siang, según otra grafía, visitó lo poco que quedaba de Pataliputra, la describió como un inmenso desierto de casas en la más completa desolación. Un siglo de abandono había bastado para que una de las grandes metrópolis de la antigüedad desapareciera casi por completo de la vista de quienes la visitaban. Las luchas entre los Guptas y los hunos, y los continuos cambios de mano entre unos y otros la habían arruinado totalmente hasta el punto de dejarla casi irreconocible en solo un breve espacio de tiempo.

Aun así, hay datos que permiten saber que hacia el siglo VIII todavía quedaban viviendo un número no demasiado bajo de personas entre lo poco que quedaba en pie en ella. Pataliputra sobrevivió totalmente destrozada unas centurias más, incluso experimentó ligeras recuperaciones, pero ya nunca volvió a ser jamás la floreciente metrópolis que fascinaba tanto a griegos occidentales como a chinos orientales. Lo que quedaba de la misma fue pasto de nuevas invasiones. En el siglo XIII, las correrías musulmanas habían llegado hasta India, y en una de ellas en el año 1205, el general Bakhtiar Khigi la conquistó definitivamente destruyendo lo poco que quedaba de sus ruinas. Así se perdió prácticamente hasta el conocimiento de su existencia.

Y es más, para rematar su despoblación, un siglo después, en 1336, se fundaba una nueva capital para el imperio musulmán indio, se la llamó Vijayanagar o "Ciudad de la Victoria", aunque se la suele conocer mejor con otro nombre mucho más abreviado, el de Hampi. Estaba situada al suroeste de India, y cuando el italiano Niccolo dei Conti la visitó en 1420 la describió con unas fortificaciones robustas, encerrada en siete murallas, y con un perímetro que él calculó de forma muy exagerada en ¡¡96 kilómetros¡¡

Sea como fuere, hacia el año 1500 Hampi debía ser una de las mayores ciudades del mundo, y con toda seguridad albergaba detrás de esos gruesos muros a más de medio millón de personas. Era una digna heredera de la gran tradición urbana que se había iniciado con Pataliputra. Hampi no tuvo mucha más suerte que su antecesora, pues su vida fue también corta, apenas poco más de dos siglos. En 1565 fue saqueada nada menos que durante seis meses, y pocos años después, en 1574, el emperador mongol Akbar refundaba la antigua Pataliputra, construyendo una nueva ciudad sobre sus ruinas, a la que llamó de una forma parecida pero más abreviada, Patna.

En la actualidad, Patna es una floreciente ciudad con cerca de dos millones de habitantes. Bajo sus edificaciones, se encuentran todavía los restos de una de las ciudades más grandes y más fascinantes que existieron en oriente. Las escasas excavaciones que se han practicado hasta ahora solo han revelado una pequeña parte de lo que fue la gran metrópolis. Pero en el futuro, y cuando las condiciones lo permitan, esas excavaciones mostrarán probablemente una pequeña parte de la grandeza de una de las civilizaciones que más ha aportado a la Historia de la humanidad, aunque sus logros sean prácticamente desconocidos para la mayor parte de los seres humanos: la civilización India.

TEOTIHUACÁN, LA PRIMERA GRAN AGLOMERACIÓN URBANA PRECOLOMBINA EN EL CONTINENTE AMERICANO

Aunque el inicio de la agricultura en el continente americano fue relativamente rápido en relación con otras áreas del mundo, la aparición de los primeros asentamientos urbanos, con carácter estable y con características propias de ciudades, fue bastante más tardía. Probablemente debió de tener lugar en la zona de Perú, donde hacia el 1800 a.C. empezaron a aparecer lo que podríamos llamar protociudades. Es el caso de la cultura del Chavín de Huantar, donde su centro ceremonial, representado por el templo del Castillo puede ser considerado como el inicio de la historia urbana americana.

El segundo centro urbano, cronológicamente hablando, se ubicó en el altiplano mexicano, en el valle de Tehuacan. Allí apareció la agricultura hace unos 7.000 años, y dos milenios después se inició un proceso de sedentarización de la población que cristalizaría posteriormente en la aparición de las primeras ciudades.

El tercer centro urbano sería el que corresponde a las denominadas tierras bajas de México, es decir, a la península del Yucatán y a las áreas más septentrionales del istmo centroamericano. Unos 800 años antes de Cristo empezó a desarrollarse en este lugar los inicios de la cultura maya.

El más importante de todos los centros urbanos citados fue precisamente el segundo: el del valle de Tehuacan. El altiplano mexicano presenta una serie de ventajas sobre los otros dos. La temperatura es agradable, pues se contrapone el hecho de encontrarse en una calurosa zona intertropical, con una altitud que supera los 2.000 metros y suaviza por tanto el calor. Por otra parte el agua es abundante, no tanto porque la cantidad de lluvia sea muy elevada como por la presencia de una serie de lagos y manantiales que garantizan su abastecimiento, incluso para poblaciones muy numerosas. La agricultura se aprovecha de un suelo que es bastante fértil y que soporta un elevado nivel de explotación. También hay minería que puede ser utilizada para crear una industria derivada de ella.

Ese mismo altiplano ha sido poblado desde hace miles de años, y en ocasiones ha dado lugar a elevadas densidades de poblaciones. Así se explica que en el mismo haya existido casi permanentemente una de las mayores concentraciones urbanas del planeta. Este fenómeno comenzó hace más de dos mil años con Teotihuacan, que será el objeto principal de nuestra atención. Siguió hace poco menos de mil años con Tenochtitlan, la capital azteca, y cuando hace unos quinientos años esta desapareció, continuó con la actual México, que es una de las mayores metrópolis que existen en el mundo en la actualidad.

Unos 1.500 años antes de Cristo, una nueva cultura se asentó en el valle, o al menos empezó a destacar a partir de ese momento por la elaboración de gigantescas cabezas esculpidas. Es la cultura olmeca, que fundó un centro ceremonial en La Venta hacia el año 1100 a.C. En ese período, empezó a apreciarse un claro aumento de la población en todo el valle central de México y del inicio del fenómeno urbano en sus primeras fases. Hacia el año 550 a.C. ya podemos hablar claramente de la existencia de la primera ciudad importante, a la que podemos llamar como tal, en el continente americano. Se trata de Cuicuilco, una aglomeración de unas 150 hectáreas de superficie en la que pudieron llegar a vivir hasta 7.500 personas. En ella se inició una tradición muy característica de los pueblos mesoamericanos (es decir, los pueblos que viven en la parte "media" o central de América), como fue la de la construcción de estructuras piramidales.

La Pirámide del Sol y el origen de la ciudad

Un par de siglos después, se inició cerca de Cuicuilco el que se puede considerar el fenómeno urbano más extraordinario de la época precolombina. En la zona oriental del lago Texcoco, existía una cueva en la que probablemente se había instalado algún tipo de santuario o de centro ceremonial subterráneo.

Desconocemos exactamente cuáles fueron los motivos que llevaron a aquellas personas a convertirlo en un lugar sagrado, pero lo que sí resulta evidente es que en aquel lugar debió ocurrir algo extraño y único, porque a partir del año 300 a.C., aproximadamente, comenzó a levantarse sobre la misma gruta una impresionante estructura de piedra que todavía perdura, la Gran Pirámide del Sol. En torno a este centro de peregrinación comenzaron también a edificarse viviendas. Al principio, hacia el año 250 a.C., era simplemente un conjunto de aldeas dispersas y de caseríos o chozas que se fueron estableciendo en este lugar. La zona era rica en agua y se prestaba al poblamiento, pues existían diferentes manantiales que podían saciar la sed de sus moradores, además de ser utilizados sus recursos para una intensa agricultura de regadío.

Los habitantes de esta zona idearon muy pronto (quizás hacia el año 200 a.C.) un ingenioso sistema para incrementar la producción de la tierra que, a pesar de su riqueza, no siempre era capaz de mantener a una población muy elevada con las técnicas agrícolas de la época. Por esas fechas, se inició un tipo de sistema de cultivo consistente en construir con tierra una especie de campos flotantes sobre el lago Texcoco, y otros lagos próximos como el de Zumpango (o Zampango) y Xaltocan (o Xalcoan), en los que se podía llevar a cabo una agricultura mucho más intensiva si cabe que en los huertos próximos a los poblados. Son las denominadas chinampas.

Debió ser por esta época cuando empezaron a aparecer los primeros edificios públicos, como pequeñas pirámides, plazas rectangulares, el complejo para practicar el juego de pelota, etc. Todo ello fue acompañado sin duda de un crecimiento demográfico, tanto de la incipiente ciudad, como de los territorios que rodeaban a la misma.

Hacia el año 100 a.C., este proceso de crecimiento se vio temporalmente interrumpido por causas que no son bien conocidas. Pero, curiosamente, esta pequeña crisis demográfica trajo como consecuencia afortunada para Teotihuacan el hecho de que los campesinos comenzaran a concentrarse aún más en la propia ciudad, produciéndose un proceso emigratorio desde los campos de alrededor hacia el núcleo urbano que estaba surgiendo. Aun así, al inicio de nuestra era, la zona debía seguir siendo más rural que urbana. Se ha calculado que por aquel entonces podían vivir ya cerca de 100.000 personas en torno a la cuenca lacustre, aunque es muy difícil estimar cuántas de ellas podían estar asentadas en Teotihuacan. El poblamiento adoptaba todavía un carácter disperso, a pesar de que se seguía manteniendo un claro proceso de cada vez más concentración de los habitantes del sector en el núcleo urbano principal.

A partir de este momento comenzó a suceder un hecho un tanto extraño. La población de los alrededores de la ciudad fue persuadida paulatinamente para que abandonara su lugar de residencia, en medio de los campos cultivados, y se desplazara a la ciudad para asentarse en ella.

No están claras las motivaciones que llevaron a los habitantes del área a adoptar esta decisión, pero todos los indicios muestran que así debió ser. Para complementar la llegada de miles de personas al núcleo urbano, se emprendió en este un ambicioso programa de urbanización. Se empezó a construir la denominada Vía o Calzada de los

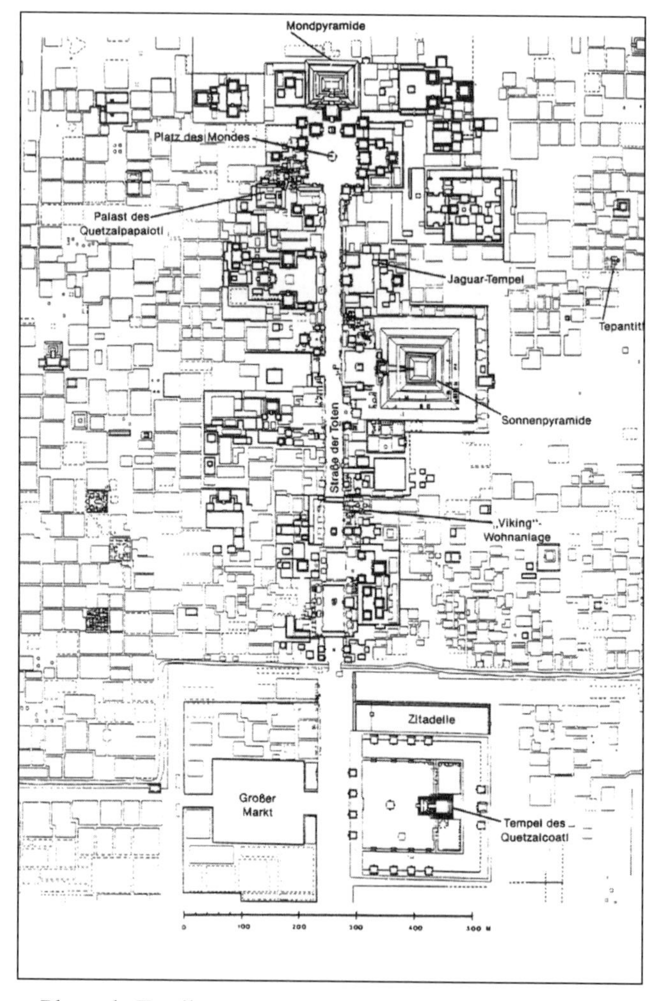

Plano de Teotihuacan que muestra con gran detalle tanto las principales construcciones de la ciudad como el espacio ocupado por las viviendas de sus habitantes.

Muertos, llamada en lengua nativa Miccaotli, que con el tiempo llegaría a ocupar una longitud considerable. Se reactivó la edificación de la enorme pirámide del Sol, a la vez que se iniciaba la construcción de otra un poco más pequeña, a la que se denominó pirámide de la Luna.

Inmigración y crecimiento de un centro religioso

Teotihuacan se iba convirtiendo paulatinamente en un centro político, económico, cultural y religioso, en el que la población aumentaba continuamente. En especial, era el grupo de los artesanos el que más crecía, tanto el de los ceramistas como sobre todo el de los trabajadores en un mineral muy apreciado, la obsidiana. Pero en la ciudad también se trabajaba en otros tipos de piedras semipreciosas o preciosas, como el jade, con el cual se hacían verdaderas obras de arte en forma de mascarillas, rostros, etcétera. Siglos después, en su momento de mayor apogeo, Teotihuacan debió contar con más de cuatrocientos talleres dedicados al trabajo de estos materiales. Estos se exportaban por todo el valle de México, e incluso por territorios muy alejados del mismo, generando un comercio y unas relaciones culturales y de todo tipo con muchas regiones de alrededor. Esta riqueza en el trabajo del material venía propiciada por la presencia de unas minas cercanas, las de Pachuca, que abastecían a sus artesanos de la materia prima necesaria para elaborar sus productos.

Hacia el año 100 d.C., el núcleo urbano de Teotihuacan debería estar ya poblado al menos por unas 50.000 personas. Pero probablemente incentivados por la riqueza que generaba la producción y el comercio de obsidiana, muchos campesinos de los alrededores continuaron abandonando sus tierras y buscaron un trabajo mejor remunerado en alguno de los numerosos talleres. La productividad de la tierra estaba creciendo continuamente, y eso permitía que el número de personas que la trabajaran no tuviera necesariamente que aumentar. De esta forma, ese sobrante de población activa podía dedicarse a otras labores distintas a la de la agricultura de supervivencia.

También la construcción de las pirámides del Sol y de la Luna necesitaba continuamente incrementar el número de sus trabajadores. El volumen de materiales que en ellas se movían implicaba la contratación de numerosa mano de obra para acabar ambos complejos. La del Sol estaba ya casi terminada en sus aspectos básicos a mediados del siglo II d.C., aunque no se terminó totalmente hasta el año 225. Con una base de 226 metros por 226 metros y una altura de 75 metros, es una de las estructuras artificiales más grandes de la América precolombina y la tercera pirámide más grande del mundo, después de las de Cholula, en la actual Puebla (México); y Keops, en lo que hoy es El Cairo (Egipto). Se calcula que posee un volumen de más de un millón de metros cúbicos de piedra, lo que resulta comparable a las famosas pirámides de Egipto, si bien estas son más altas y tienen una antigüedad de casi 3.000 años más.

La pirámide del Sol, al igual que la de la Luna, era una pirámide de tipo truncado, es decir, que no guarda siempre el mismo ángulo en su inclinación como les ocurre a las de Gizeh, sino que se desarrolla en varios cuerpos con diferente inclinación. En lo alto de las mismas se encontraba un templo. Para construirlas es evidente que hizo falta el concurso de miles de trabajadores.

Por esta misma época de mediados del siglo II, se inició también el templo de Quetzalcoatl o de la Serpiente Emplumada. Se tardó más de un siglo en culminar la obra y en cerrar su techumbre, pero la estructura debía de ser admirable cuando estuvo finalizada. Los pueblos del altiplano mexicano y andino se caracterizaron por ser unos formidables constructores de gigantescos monumentos arquitectónicos, y poseyeron también avanzados conocimientos de ingeniería. Solo con estas características era posible elevar las enormes estructuras que construyeron y que tanto admiraron a los europeos que las vieron mil años después.

Una de las mayores ciudades del mundo

Teotihuacan no paraba de crecer, y se iba acercando paulatinamente al momento de su máximo apogeo. Este debió extenderse durante unos cuatro siglos, aproximadamente, desde el III hasta el VII. Se calcula que a comienzos del siglo III la ciudad no debía superar todavía los 90.000 habitantes, pero en la época de mayor esplendor la ciudad pudo llegar a sobrepasar los 200.000 habitantes, lo que la convertiría en una de las seis más pobladas del mundo. En ese momento, las ciudades europeas estaban en plena decadencia, y solo algunas del Mediterráneo oriental o de las antiguas culturas asiáticas china e india, como hemos visto en este y otros capítulos, podían compararse a la gigantesca metrópolis mesoamericana.

A principios del siglo IV, la construcción de la pirámide de la Luna ya había llegado a su fin. El Camino de los Muertos poseía en ese momento una longitud de más de dos kilómetros, con una anchura de unos cuarenta metros. El templo de la Serpiente Emplumada comenzó a convertirse en un gran complejo de edificios públicos administrativos. Para llevar a cabo todo este proceso de reordenación urbana se desvió el curso del río San Juan y se distribuyó la ciudad homogéneamente en cuatro cuadrantes.

Durante el siglo V, la expansión de Teotihuacan continuó, tanto en lo demográfico como en lo económico y lo urbano. Las embajadas de representantes de la urbe viajaban por todo Centroamérica ofreciendo sus productos a los vecinos (como está atestiguado en la ciudad de Tikal en el año 445), así como para buscar materias de las que la ciudad carecía pero requería en abundancia, como el cacao, el algodón o el jade. El proceso de concentración demográfica en Teotihuacan era tal que se calcula que, hacia el año 500, más del 80% de la población del altiplano vivía en la ciudad. Para acoger a la continua riada de inmigrantes fue necesario seguir ampliando el espacio edificado. De esta forma se expandió el conjunto urbano por el sur con el llamado barrio de Atelelco.

El siglo VI fue probablemente el de su mayor apogeo, sobre todo en las décadas finales del mismo. Teotihuacan había crecido no solo internamente, sino que también lo habían hecho las tierras que dependían del control de la ciudad. Su "imperio" se calcula que se extendía por más de 25.000 kilómetros cuadrados. Es difícil calcular su población basándonos solo en datos arqueológicos, pero las estimaciones más bajas dan un total de más de 125.000 personas, mientras que otros investigadores ven incluso probable que se acercase al cuarto de millón de almas hacia el año 600, que es la fecha en torno a la cual debió alcanzar su momento demográfico culminante. En esa época, más del 90% de la población del valle debía de concentrarse en su espacio urbano. Y este inevitablemente se fue densificando y masificando cada vez más. En las últimas etapas constructivas, puede apreciarse el hacinamiento al que debían estar sometidas las personas que habitaban en las viviendas. La especulación del suelo estaba propiciando un sustancial cambio en los paradigmas urbanos de una ciudad que, hasta entonces, se podía considerar como un modelo de desarrollo en su género.

Si durante los primeros siglos de su historia predominaron los barrios de viviendas bien planificados, como el de Xolalpan, ya a finales del siglo VI se aprecia que su crecimiento es mucho más caótico, como puede observarse en el sector de Tlamimilolpa. En este conjunto, de más de 3.500 metros cuadrados de extensión, se ubican 176 habitaciones comunicadas entre sí, lo que forma una aglomeración casi laberíntica. Se une a ello el hecho de que las estancias apenas sí tienen ventanas, por lo que las viviendas debían de ser extremadamente oscuras, y por tanto, para iluminarlas, el riesgo de que se provocasen incendios debía de ser también bastante elevado. En caso de que el fuego estallase, la mortalidad provocada por el humo debía de ser altísima, ya que las posibilidades de escapar de semejante ratonera eran escasas.

Llegados a este punto cabe preguntarse cuáles fueron las causas del apogeo y posterior crisis de Teotihuacan, y para explicarlo, debemos conocer con mayor detalle cuál era su estructura urbana y qué características tenía el urbanismo de la ciudad.

Sin duda, parte de su éxito urbano estribaba en que poseía una ubicación muy favorable, controlando las vías de comunicación, no solo de todo

La pirámide del Sol fue el principal monumento de la antigua ciudad de Teotihuacan. Se ubica sobre una cueva y es la tercera pirámide más grande que existe en el mundo.

el altiplano mexicano, sino prácticamente de todo el territorio circundante. Sus recursos naturales eran muy elevados. A su alrededor se situaban lagos, ríos y manantiales que garantizaban un suministro permanente de agua para su elevada población. Las fuentes que la abastecían nacían en la montaña del Cerro Gordo o Tenan, y se les denominaba "la Madre de las Aguas". Existían también densos bosques que la surtían de madera para la construcción y como combustible. En sus proximidades eran frecuentes las minas de obsidiana y de otros minerales. Se calcula que las dos terceras partes de su población trabajaban en las labores agrícolas, y que al menos una tercera parte formaba parte de la administración de la ciudad, dedicándose a actividades religiosas o bien a actividades artesanales, entre las que sobresalía el trabajo con la obsidiana, y el de la producción de cerámica.

La construcción de Teotihuacan duró más de medio milenio, y para llevarla a cabo fue preciso utilizar una abundante mano de obra, lo que demuestra su elevado nivel de organización, y el control que sus mandatarios debían ejercer sobre la población de todo su territorio. Para alimentar a esta abundante población, se llevó a cabo una política de gran expansión del regadío. Los ríos San Juan y San Lorenzo eran utilizados para regar los campos y las huertas. Sus aguas vertían finalmente al lago Texcoco, en el que sus fértiles terrazas de aluvión, sobre las orillas pantanosas del mismo, habían sido drenadas para ser utilizadas como terrenos en los que se pudiera sembrar y aumentar la producción de alimentos. Las ya mencionadas chinampas fueron la mejor solución técnica para elevar aún más los rendimientos de una tierra productiva que debía alimentar a una población creciente y en número elevado. El lago Texcoco servía además para obtener de él peces, aves, juncos y, en determinados puntos del mismo, sal. Los juncos eran especialmente apreciados, ya que con ellos se generó una amplia industria de cestería y de esteras. La materia prima para la construcción de tantas obras monumentales y de tantas viviendas se obtenía en los alrededores: arcilla para la fabricación de la cerámica; piedras para la construcción; cuarzo, basalto y obsidiana para la fabricación de armas y de cuchillos, etc. También se trabajaba con otros materiales como el onix, el jade y las conchas marinas.

La ciudad poseía un trazado rectangular, y su superficie urbanizada se calcula en unos 21 kilómetros cuadrados. Este proceso de urbanización debió de ser una operación colosal para aquella época y para los medios de que en ese momento se disponían, pues incluso, como ya dijimos, se llegó a canalizar el río San Juan para adaptarlo al esquema cuadriculado con el que se había diseñado la ciudad. El núcleo de Teotihuacan estaba constituido por el centro ceremonial, cuyo eje principal de norte a sur era la avenida de los Muertos. En él se ubicaban palacios, templos y también residencias para los personajes más destacados de la ciudad.

El extremo norte de la urbe estaba señalado por la pirámide de la Luna. A lo largo de los más de cinco kilómetros con los que llegó a contar la gran avenida de los Muertos en su momento de mayor apogeo, se alineaban más de 25 templos, casi todos ellos edificados sobre montículos piramidales de superficie plana. Estaban construidos con adobe, tierra vegetal y grava, mientras que su revestimiento era de piedra. En su exterior estaban pintados de rojo y blanco, y algunos estaban deco-

Vista general de Teotihuacan en la que se puede apreciar el gran eje principal que vertebraba la ciudad y al que se conoce como avenida de los Muertos.

rados con murales policromos en los que se desarrollaban escenas mitológicas.

En la intersección entre la avenida de los Muertos con el eje principal en el sentido transversal, se encontraba el gran recinto de la ciudadela. Esta consistía en un vasto complejo que constituía el centro político, religioso, administrativo y militar de Teotihuacan. Los gobernantes vivían en el palacio que existía dentro de la ciudadela. El amplio edificio que aún se conserva junto a la misma servía probablemente como gran mercado central de Teotihuacan.

Por el contrario, la clase baja vivía en chozas construidas con adobe, de una o dos habitaciones. Estas viviendas se encontraban dispersas por toda la ciudad. En ellas se concentraba sobre todo la población inmigrante recién llegada a Teotihuacan. Los barrios en los que más predominaban los inmigrantes eran los del Oeste, donde parece ser que se agrupaban los que procedían de la región de Oaxaca, y los del Este, en el que la mayor parte de los residentes habían llegado de las tierras más al sur, las de los mayas. Los artesanos, comerciantes y agricultores de mejor posición, es decir, lo que hoy podríamos denominar como las clases medias de Teotihuacan, habitaban en una especie de apartamentos de una sola planta y con una superficie entre 50 y 60 metros. Pero estos apartamentos se agrupaban en complejos en los que podían vivir entre 60 y 100 personas.

El motivo principal que explica la importancia de Teotihuacan es su función como centro religioso. Cuando los aztecas contemplaron la ciudad bastantes siglos después de su desaparición, la veneraron como si la misma fuera el origen del cosmos. Fue probablemente aquí donde se inició el culto religioso en el que se practicaban los violentos y sangrientos sacrificios humanos, lo cual servía quizás para demostrar el poder de los gobernantes. La superficie del inmenso centro ceremonial de la ciudad poseía una planta de un kilómetro y medio de largo por uno de ancho.

Estos mismos gobernantes vivían en complejos palatinos de una sola planta, en los que existía una rica decoración a base de frescos muy elaborados. El más conocido de estos palacios es el de Quetzalpapalotl, y también el de Tepantilo, que destaca por sus elaboradas pinturas. Por desgracia, desconocemos más datos para saber quiénes fueron los personajes principales y de qué forma pudieron convencer a miles de personas para que fueran a trabajar a la enorme ciudad que ellos levantaron.

Una decadencia difícil de explicar

Es difícil saber cuáles fueron las causas exactas que acabaron con esta extraordinaria ciudad. Lo más probable, como suele suceder en estos casos, es que fuera la suma de varios factores los que propiciaron su crisis y su ruina. Ya desde mediados del siglo VI se estaba observando un proceso de crisis comercial con los pueblos mayas del sur, pero aunque esto llevó a un cierto debilitamiento económico de Teotihuacan no tuvo en principio mayor trascendencia, y la ciudad siguió creciendo probablemente durante medio siglo más. Pero a finales de ese mismo siglo, y sobre todo en los comienzos del VII, los síntomas de debilitamiento empezaron a hacerse cada vez más alarmantes. A los problemas económicos y también demográficos, se unieron a su vez los primeros ataques de pueblos procedentes del norte.

El siglo VII fue un continuo cúmulo de desgracias. Los ataques exteriores y el inicio de la crisis económica, unida al hacinamiento que buena parte de la población sufría, acabó por pasar factura a sus habitantes. El extraordinario crecimiento redundó negativamente en la salubridad de la ciudad. El agua, que a pesar de su abundancia escaseaba la mayor parte del año por el incremento de la población, debió de aumentar sus niveles de contaminación por causas que se desconocen con exactitud. Ello provocó la aparición de enfermedades endémicas, y eso, unido a los problemas de tipo económico y de inseguridad, provocó la mala alimentación de sus habitantes, debido a la dificultad de abastecer a tanta población. Pudo tratarse, por tanto, de un problema de falta de equilibrio entre los recursos y la población, provocado a su vez por la disminución de los intercambios comerciales, que eran también consecuencia directa de los cada vez más frecuentes y mayores ataques de los nómadas del norte.

Los índices de mortalidad comenzaron a aumentar, en especial los de la mortalidad infantil. La calidad de vida de la población se deterioró considerablemente. Se calcula que más de un tercio de los nacidos no llegaba a cumplir el primer año de vida, lo que supone un porcentaje elevadísimo. Y también se ha calculado que la mitad de los niños que nacían no llegaban a alcanzar los quince años de edad. La esperanza de vida debía de ser muy baja, así el 87% de la población no llegaba a cumplir los cuarenta años de edad, y solo un 6% alcanzaba los cincuenta años. Con semejantes tasas de mortalidad, la ciudad solo podía mantener un elevado número de habitantes gracias al constante aporte de inmigrantes procedentes de las zonas rurales de los alrededores.

Cuando este empezó a faltar, comenzó el descenso demográfico de la población dando lugar a un proceso de crisis con consecuencias irreversibles.

Este hecho tuvo como consecuencia lo que podríamos denominar una especie de reacción en cadena, en la que intervinieron la concatenación de varios factores a la misma vez. Para mantener el elevado nivel de vida de la clase gobernante fue preciso aumentar la recaudación de tributos, ya que al disminuir la población, estos también se habían reducido. Pero eso provocó inevitablemente el que el resto de la población se acabara rebelando contra el aumento de la presión fiscal. La sobrepoblación de la ciudad degeneró en una acusada crisis agrícola, y en medio de toda esa situación de desorden, el control de las rutas comerciales se acabó por perder a favor de otras ciudades emergentes como Tula o Cholula, al norte y al sur del altiplano mexicano donde se encontraba Teotihuacan. El problema es que la intensificación de los cultivos en su última etapa, para intentar mantener el abastecimiento de la creciente población, había provocado una intensa deforestación de los bosques de los alrededores. Esto había traído a su vez como consecuencia un aumento en la erosión de los suelos e, inevitablemente, un menor rendimiento de los mismos y por tanto una reducción de las cosechas.

Pero no solo fueron causas de índole natural las que provocaron el colapso de esta civilización. A ellas se unieron factores de carácter estrictamente humano. La burocratización de la clase dominante y de su sistema administrativo se hizo excesiva, el sistema político que existía era extremadamente rígido y fue incapaz de responder a la problemática creada por la nueva situación de crisis. Ello unido a la ya mencionada decadencia de las vías y del sistema comercial, así como a la presión de los pueblos provenientes de los desiertos del noroeste, acabó por hundir toda la civilización creada durante los cinco o seis siglos anteriores.

La descomposición teotihuacana no solo afectó al altiplano, sino que acabó por causar una reestructuración del poder económico y político en buena parte del territorio de lo que hoy es México. Sus efectos se dejaron sentir en las lejanas tierras bajas mayas, a las que la decadencia del altiplano arrastró también a su crisis, aunque esta se produjo unos siglos más tarde.

A mediados del siglo VII, el descenso demográfico ya era palpable. Probablemente en ese momento la ciudad ya no contaba ni siquiera con 150.000 habitantes, pero aun así todavía se mantenía como el principal conjunto urbano de América y uno de los mayores del mundo. Sin embargo, el declive de la ciudad era ya imparable. A los ataques desde el exterior, la clase guerrera de Teotihuacan respondió haciéndose con el control del gobierno de la misma, en un desesperado intento por sacarla de la crisis. Pero no hubo forma de evitar el desgraciado final. Los ataques eran cada vez más continuos y más duros. Una serie de pueblos, entre los que destacan los llamados chichimecas, hacían incursiones sobre la misma cada vez con más fuerza y con mayor capacidad destructiva.

Aun así se calcula que, a finales del siglo VII, todavía podían quedar en la ciudad unas 60.000 personas. Pero a principios del siglo VIII, tanto los ataques exteriores, como los problemas y rebeliones internas se intensificaron aún más si cabe. Gran parte del centro monumental fue incendiado y destruido y la población, ante la inseguridad de la urbe y las dificultades para abastecerla, la abandonó cada vez con más rapidez. A mediados de ese mismo siglo se estima que no debían de ser más de 30.000 los pobladores que aún permanecían en ella.

Debió ser en la segunda mitad de este siglo cuando se produjo su abandono prácticamente de forma total. Los nómadas hicieron cada vez más continuas y peligrosas sus incursiones. Los saqueos fueron moneda común, y cuando ya quedaba poco que llevarse de la decadente urbe, la incendiaron definitivamente y la destruyeron. De esta forma, a comienzos del siglo IX, ya quedaba bastante poco de su antigua grandeza, y debía estar prácticamente deshabitada. Su ruina conllevó también la de las ciudades satélites de su alrededor. Cholula y Xochicalco experimentaron también procesos parecidos por estas fechas. Las nuevas construcciones que aparecían por estos años buscaban siempre emplazamientos elevados para facilitar su defensa.

En el siglo X, los alrededores de Teotihuacan seguían estando habitados, aunque el conjunto urbano en sí debía ser un caos de ruinas y de monumentales construcciones en estado de abandono. Así se mantuvo durante varios siglos hasta que, a principios del XII, se produjo la llegada a esta zona del pueblo azteca o mexica, que fundó una nueva ciudad en la orilla opuesta del lago Texcoco, a la que llamó Tenochtitlan. Pero sin embargo, los aztecas reconocieron el carácter sagrado de los monumentos de Teotihuacan, y para demostrarlo hicieron frecuentes peregrinaciones en las que visitaban sus ruinas y practicaban ritos sagrados en sus antiguos templos, de cuya grandeza se consideraron herederos. Y, de hecho, situaron en Teotihuacan el lugar donde se creó el mundo, además de que el propio nombre de Teotihuacan es azteca pues es una palabra nahuatl que significa 'el lugar donde se reúnen los dioses'.

Fue tal su interés por la ciudad muerta que incluso llegaron a practicar algunas excavaciones en lo que llamaron el lugar de la Divinización. Cuando los españoles llegaron a comienzos del siglo XVI, se sorprendieron de la grandiosidad de las ruinas, y fueron testigos de cómo la civilización que en aquel momento ejercía su poder sobre el resto de los pueblos, la azteca, seguía rindiendo culto a los dioses que en Teotihuacan se habían estado venerando, desde hacía cerca de dos mil años.

Los restos de la antigua Teotihuacan se encuentran hoy día a unos 40 kilómetros al noreste de México D.F. El conjunto monumental fue declarado Patrimonio de la Humanidad por la UNESCO en 1987.

7

Otras ciudades: Jericó, Menfis, Mohenjo-Daro y Nínive

En los capítulos anteriores hemos asistido a la historia de las ciudades más importantes del mundo antiguo, previas al clasicismo grecorromano. Pero aunque hemos seleccionado las que, a nuestro parecer, son las más representativas de ese período, la lista podría ser mucho más extensa. Como en un libro de estas características no es posible tratar con la misma amplitud un número elevado de ciudades, como hubiera sido nuestro deseo, dedicaremos este capítulo a explicar brevemente la historia de otras cuatro urbes que también alcanzaron una gran relevancia en esta época.

Las que hemos seleccionado son: Jericó en Palestina, por el hecho de ser la primera o al menos una de las primeras ciudades que existieron; Menfis, la capital del Antiguo Egipto, ya que fue la ciudad más importante de esa civilización en su primera etapa, además de ser una de las más pobladas del mundo; Mohenjo-Daro, como ciudad representativa de los inicios del fenómeno urbano en las culturas de Asia Oriental, y en concreto en India; y Nínive, que es quizás la única gran ciudad del mundo antiguo, en cuanto a su elevado volumen de población, que no ha sido tratada en ninguno de los capítulos anteriores.

Comenzaremos por Jericó. Surgió hace unos 11.000 años como un asentamiento protoneolítico junto a un manantial de aguas permanentes, lo que permitía el cultivo de cereales en una tierra fértil, aunque muy árida. Situada junto al río Jordán, a una altitud de 240 metros bajo el nivel del mar, y a 27 kilómetros de la actual Jerusalén. En la Biblia se la denomina *Ariha* o 'ciudad de las palmeras'. Hacia el año 8350 a.C. comenzó su crecimiento, alcanzando una superficie de 1,6 hectáreas. Las casas que allí se construyeron eran redondas y estaban hechas con ladrillos de adobe. Jericó se hallaba rodeada por un muro de tierra y poseía una torre defensiva de carácter circular.

Hacia 7800 a.C., la población había aumentado considerablemente y quizás se acercó a los 2.700 habitantes. Era, sin duda, la mayor concentración humana de la que tenemos constancia en una época tan antigua. No había, que se sepa, ningún otro asentamiento urbano tan poblado en el mundo hace casi 10.000 años. Ello tuvo importantes consecuencias para Jericó. La superficie ocupada por la ciudad aumentó hasta extenderse por más de cuatro hectáreas. La muralla que la circunvalaba se construyó de piedra, y no de tierra. La torre circular creció en altura hasta llegar a alcanzar nueve metros. Las casas en el interior del recinto estaban apiñadas y las viviendas adoptaron una nueva planta de carácter rectangular. Estaban construidas con ladrillos y tenían cimientos de piedra, su piso era de arcilla y terrazo. Los habitantes de Jericó vivían del cultivo de cebada, trigo, legumbres, del pastoreo de ovejas y de la caza de animales, en particular de gacelas que entonces eran abundantes en aquella región.

Poco después del año 6000 a.C. se inició un proceso de abandono de Jericó. A lo largo de los cinco milenios siguientes, la ciudad sufrió al menos hasta 15 ataques, el último de los cuales hacia 1230 a.C. es relatado en la Biblia y narra cómo sus murallas fueron abatidas por el ejército de Josué, que al tocar las trompetas consiguió derribarlas. Mucho se ha especulado sobre este hecho, habiendo quien opina que debió ser un terremoto el causante de esa destrucción. Fuera lo que fuera, el primitivo Jericó desapareció definitivamente, para ser reconstruido muchos siglos después bajo otras culturas diferentes.

Por su parte, Menfis es tenida por la ciudad de los faraones constructores de pirámides. Según las fuentes clásicas, el primer faraón de Egipto fue Narmer, llamado Menes por los griegos. Fue él quien unificó el Bajo Egipto (la zona del Delta) con el Alto Egipto. Para conseguir que esta unión fuera más eficaz, Narmer/Menes decidió construir una capital en el lugar donde ambos territorios tenían frontera común, y así, hacia el año 3100-3050 a.C. se inició la construcción de una ciudad a la que se denominó Menfis, nombre derivado de Men Nefer ('el Muro Blanco'), que fue uno de los que recibió (además de otros, como Hut Ka Ptah, del que se deriva el nombre del país: Egipto) a lo largo de su dilatada historia.

Menfis estaba situada a unos 25 kilómetros de la actual capital egipcia, El Cairo. Fue la capital durante el primer período del Antiguo Imperio egipcio, hasta el año 2040 a.C., y se cree que entre 2700 y 2240 a.C. pudo ser probablemente la ciudad más poblada del mundo, pues se calcula que debió de llegar a superar los 40.000 habitantes. La ciudad prosperó también porque en sus proximidades se ubicaron las grandes tumbas de los faraones del Imperio Antiguo. En la actual Gizeh, a unos 18 kilómetros, se construyeron los grandes complejos funerarios de Keops, Kefrén y Micerinos en forma de pirámides.

Durante el Imperio Medio su población siguió creciendo, y quizás hacia el 1900 a. C. había sobrepasado los 60.000 habitantes, pero ya no era la mayor ciudad del mundo, ni siquiera lo era de Egipto, pues Tebas, la nueva capital, la había superado. Aún así Menfis continuó siendo una gran ciudad. El faraón Ramses II la engrandeció aún más y construyó en ella una gigantesca estatua suya que todavía se conserva. A pesar de la posterior decadencia del imperio, Menfis se mantuvo como una ciudad con un tamaño enorme, y quizás superó los 100.000 e incluso los 120.000 habitantes. Pero, como ya vimos en capítulos anteriores, en el siglo VII a.C. Egipto sufrió la invasión asiria. Estos saquearon la ciudad dos veces en pocos años (671–668 a.C.) y Menfis fue destruida, de manera que ya no recuperó nunca más su primitivo esplendor.

Su declive se incrementó debido a la fundación de nuevas capitales que le fueron arrebatando su importancia. La construcción de Alejandría en el 332 a.C., y sobre todo las de Fustat en el 642 d.C. y de su sucesora Al Qahira (la actual El Cairo) en el 973, supusieron el final de la ciudad. Sus materiales fueron utilizados como cantera para la construcción de la nueva capital de Egipto y de esa forma, Menfis fue desmantelada hasta el punto de que hoy día apenas si queda alguna construcción importante en la antigua capital de los faraones.

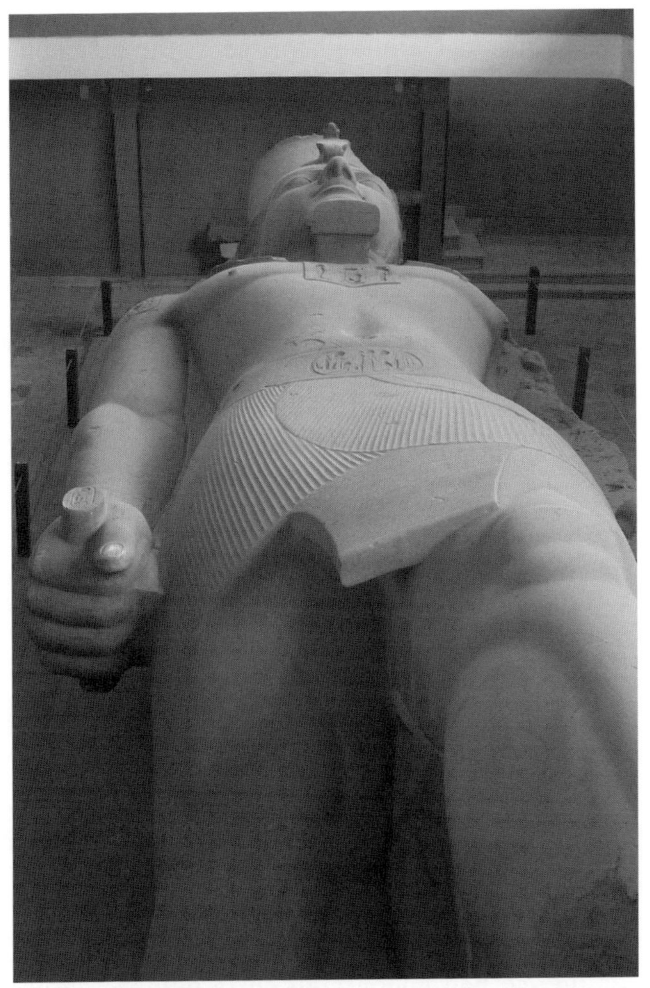

Estatua colosal del faraón Ramsés II encontrada entre las ruinas de la antigua ciudad de Menfis.

Mohenjo-Daro fue la primera gran ciudad de India, se encontraba situada en el valle del río Indo, en el sur del actual Pakistán, y su nombre significa 'montículo de la muerte'. Tuvo su momento de esplendor entre los años 2600 y 1800 a.C., alcanzando su punto culminante hacia el siglo XXI a.C., cuando quizás superó los 40.000 habitantes. Su superficie abarcaba casi 250 hectáreas y el perímetro amurallado superaba los 5 kilómetros. La ciudad fue planificada antes de su construcción, siguiendo un modelo en cuadrícula y se dividía en dos partes, la ciudadela o ciudad alta, que era un centro administrativo y religioso, y la ciudad baja, en la que se hallaban los barrios residenciales, así como los graneros y los almacenes.

Mohenjo-Daro fue la primera ciudad del mundo en disponer de un completo y eficaz sistema de alcantarillado para la eliminación de aguas residuales. Su avenida principal medía casi diez metros de anchura, el gran estanque para el agua tenía 12 por 7 metros de superficie y el mayor almacén que existía medía 70 por 24 metros. Estas cifras nos hablan de la gran labor constructiva que se llevó a cabo en la ciudad.

Los arqueólogos han encontrado objetos de alfarería y ladrillos fundidos a unas temperaturas elevadísimas, lo que ha hecho pensar a algunas personas que solo una explosión de carácter nuclear pudo crear tal destrucción. Pero aunque no sepamos qué pasó realmente (hasta ahora nadie ha conseguido descifrar las numerosas tablillas escritas que se han encontrado en la ciudad) parece claro que no fue ningún fenómeno extraño el causante de su ruina, sino más bien la invasión y el saqueo a la que la sometieron los pueblos arios, así como el hecho de que el río Indo experimentara una desviación en su curso y esto acabó provocando su decadencia económica.

Para finalizar, unas palabras dedicadas a Nínive, la capital de los asirios. Cerca de la actual ciudad iraquí de Mosul, a orillas del río Tigris, se construyó hace 3.800 años un templo dedicado a la diosa Ishtar. Este era un lugar de paso de las rutas caravaneras entre el Mediterráneo y el Índico, por lo que junto al templo se fue creando poco a poco un poblado que con el tiempo alcanzó gran importancia. Hacia el año 700 a.C., el rey asirio Senaquerib decidió hacer de Nínive la capital de su imperio, y para ello inició un programa de engrandecimiento y de embellecimiento de la misma. Construyó una doble muralla de 12 kilómetros de circunferencia y 25 metros de altura, abierta por 15 grandes puertas. En la ciudad, que se extendía por 7 kilómetros cuadrados de amplias calles y plazas, llegó a haber entre 100.000 y 150.000 personas en su momento de máximo esplendor.

Abastecer a esta elevada población no debió de resultar sencillo, y de hecho fue preciso construir un gran acueducto, el de Jerwan, que traía el agua desde unas colinas situadas a 50 kilómetros, mediante un complejo sistema de 18 canales, y en algunos puntos llegaba a tener nada menos que 22 metros de anchura. Senaquerib utilizó la abundante mano de obra esclava para construir el denominado palacio "Sin Rival", un gigantesco conjunto de 503 por 242 metros, y una altura de 22 metros, que constaba de 80 habitaciones en su interior; para su construcción fueron necesarios más de 160 millones de ladrillos... Sus puertas estaban flanqueadas con estatuas de toros alados con cabeza humana, que superaban los 30.000 kilos de peso y fueron transportadas desde más de

Los restos que actualmente se conservan de Mohenjo-Daro muestran el elevado nivel urbano que alcanzó la civilización del valle del Indo.

50 kilómetros. Sus paredes poseían más de tres kilómetros de bajorrelieves.

Durante el reinado de Asurbanipal (668 - 626 a.C.) se reunió en Ninive la que probablemente fue la mayor biblioteca que el mundo había conocido hasta entonces: más de 22.000 tablillas de arcilla que los arqueólogos encontraron intactas 25 siglos después y que han arrojado una enorme cantidad de información sobre el mundo antiguo.

Todo este esfuerzo constructivo se derrumbó unos noventa años después de iniciado. Entre 614 y 612 a.C., medos y babilonios asediaron la ciudad hasta tomarla finalmente. Para ello tuvieron nada más y nada menos que desviar previamente el curso del río Tigris, si bien una vez conseguido esto, capturar Nínive resultó relativamente fácil. La ciudad fue destruida hasta sus cimientos, y la población masacrada en su inmensa mayoría. Se prohibió su reconstrucción, y su desmantelamiento fue tal, que cuando dos siglos después los ejércitos griegos de Jenofonte pasaron junto a sus ruinas, se preguntaron cuál era el nombre de la ciudad que había existido allí anteriormente.

Nínive nos sirve para poner punto final al panorama que hemos trazado sobre las principales ciudades del mundo antiguo. Su historia, heredera de un lejano pasado, culmina con un momento de gran esplendor y termina bruscamente de la misma forma que desaparecieron otras muchas urbes que hemos visto en páginas anteriores. Ellas nos dejaron sin embargo restos de su grandeza para que aún podamos admirarlas, aunque su verdadera monumentalidad solo podamos imaginarla.

Bibliografía

ASIMOV, Isaac. *Historia de los egipcios*. Madrid: Alianza, 1993.

---. *El Cercano Oriente*. Madrid: Alianza, 1995.

ASTON, Mick y TAYLOR, Tim. *Atlas de Arqueología*. Madrid: Acento, 1999.

BARDET, Jean Pierre y DUPAQUIER, Jacques. *Historia de las poblaciones de Europa. Volumen I. De los orígenes a las premisas de la revolución demográfica*. Madrid: Síntesis, 2001.

BARRACLOUGH, Geoffrey. *El mundo. Gran atlas de Historia*. Barcelona: Ebrisa, 1985.

BENÉVOLO, Leonardo. *El diseño de la ciudad. El arte y la ciudad antigua*. Barcelona: Gustavo Gili, 1982.

BLÁZQUEZ MARTÍNEZ, José María. *El Antiguo Oriente. La cuna de la civilización.* Barcelona: Plaza y Janés, 1991.

---, *Babilonia.* Alicante: Boletín de la Asociación Española de Orientalistas, volumen 39, 2003.

CANO FORRAT, Juan. *Introducción a la Historia del urbanismo.* México: Limusa, S.A. de C. V., 2008.

CERAM, C. W. *Dioses, tumbas y sabios.* Barcelona: Destino, 1995.

CHANDLER, Tertius. *Four thousand years of urban growth. An historical census.* Saint Davis University, Lewiston, New York: Mellon Press, 1989.

CHUECA GOITIA, Fernando. *Breve historia del urbanismo.* Madrid: Alianza, 1998.

CRISTÓBAL, V. y DE LA VILLA, J. *Ciudades del Mundo Antiguo.* Madrid: Clásicas, 1997.

DELFANTE, Charles. *Gran Historia de la ciudad. De Mesopotamia a Estados Unidos.* Madrid: Abada, 2006.

FORTE, Maurizio y SILIOLITTI, Alberto. *Arqueología. Paseos virtuales por las civilizaciones desaparecidas.* Madrid: Grijalbo Mondadori, 1996.

FRANCHETTI, Vittorio. *Historia del urbanismo.* Madrid: Instituto de Estudios de la Administración Local, 1985.

GALLEGO, Julián y GARCIA MAC GAW, Carlos. *La ciudad en el Mediterráneo Antiguo*. Buenos Aires: Del Signo, 2007.

GARCIA BELLIDO, A. *Urbanística de las grandes ciudades del Mundo Antiguo*. Madrid: CSIC, 1985.

GARCIA VALDES, Adrián. *Teotihuacan, la ciudad y sus monumentos*. México: Dicesa, 1975.

GIRAITOLI, María Teresa y RAMBALDI, Simone. *Ciudades de la Antigüedad. Las grandes metrópolis del mundo antiguo*. Barcelona: Librería Universitaria, 2002.

GONZÁLEZ WAGNER, C. *Historia del Cercano Oriente*. Salamanca: Universidad de Salamanca, 1999.

HUOT, Jean Louis. *Dossier: Babylone, le monde de la Bible*. París: Ed. 71, 1991.

HUSS, Werner. *Cartago*. Madrid: Acento, 2001.

INVERNIZZI, Antonio. *Dal Tigre all'Eufrate: Babiloni e Assiri*. Turín: La Lettere, 1992.

KOLB, Frank. *La ciudad en la Antigüedad*. Madrid: Gredos, 1992.

KRAMER, Samuel Noah. *La Historia empieza en Sumer*. Barcelona: Orbis, 1985.

KULKE, Hermann y ROTHERMUND, Dietmar. *History of India*. Oxon: Routledge, 2004.

LANCEL, Serge. *Cartago.* Barcelona: Crítica, 1994.

LANGE, Kurt. *Pirámides, esfinges y faraones.* Barcelona: Destino, 1995.

LAVEDAN, Pierre. *Historia del urbanismo.* París: Laurans, 1952.

LEICK, Gwendolyn. *"Ur" en Mesopotamia: la invención de la ciudad.* Barcelona: Rubí, 2002.

LIVERANI, Mario. *Antiguo Oriente. Historia, sociedad y economía.* Barcelona: Crítica, 1995.

LÓPEZ, Leonardo y MANZANILLA, Linda. *Historia Antigua de México. Volumen I.* México: INAH-UNAM Porrúa, 2000.

MACDONALD, Fiona. *Las ciudades a través del tiempo. Ciudadanos y civilizaciones.* Madrid: Anaya, 1994.

MATOS MOCTEZUMA, Eduardo. *Teotihuacan, la metrópolis de los dioses.* Madrid, Lunwerg, 1990.

MAYER, Marc y RODÁ, Isabel. *Ciudades antiguas del Mediterráneo.* Barcelona: Lunwerg; 1998.

MODELSKI, George. *World cities: -3000 to 2000.* Seattle: Faros 2000, 2003.

MORRIS, Anthony y EDWIND, James. *Historia de la forma urbana, desde sus orígenes, hasta la Revolución Industrial*. Barcelona: Gustavo Gili, 1992.

MUMFORD, Lewis. *La ciudad en la Historia*. Buenos Aires: Infinito, 1979.

OATES, Joan. *Babilonia. Auge y declive*. Barcelona: Martínez Roca, 1989.

OVERY, Richard. *Historia del mundo. The Times*. Madrid: La Esfera de los Libros, 2006.

PRADOS MARTÍNEZ, Fernando. *Introducción al estudio de la arquitectura púnica*. Madrid: UAM, 2003.

---, *Arquitectura púnica. Los monumentos funerarios*. Madrid: CSIC, 2008.

PRITCHARD, James B. *Atlas de la Biblia. The Times*. Barcelona: Plaza y Janés, 1991.

REDMAN, Charles. *Los orígenes de la civilización. Desde los primeros agricultores hasta la sociedad urbana en el Próximo Oriente*. Barcelona: Crítica, 1990.

ROMER, John y ROMER, Elizabeth. *Las Siete Maravillas del Mundo*. Barcelona: Del Serbal, 1996.

ROUX, Georges. *Mesopotamia. Historia política, económica y cultural*. Madrid: Akal, 1987.

SAMBRICIO, Carlos. *La Historia urbana*. Madrid: Marcial Pons, 1996.

SCARRE, Chris. *Atlas de Arqueología. The Times. Mundos del pasado*. Barcelona: Plaza y Janés, 1990.

---. *Las setenta maravillas del mundo antiguo. Los grandes monumentos y cómo se construyeron*. Barcelona: Blume, 2001.

SCHULZ, Regine y SEIDEL, Matthias. *Egipto. El mundo de los faraones*. Colonia: Könemann, 1997.

SICA, Paolo. *La Historia de la ciudad. De Esparta a Las Vegas*. Barcelona: Gustavo Gili, 1997.

VARELA, Darío. *Genserico, rey de los vándalos*. Madrid: Códigos, 2007

VINCENT, Mary y STRADLING, R. A. *Atlas cultural de Egipto. Dioses, templos y faraones*. Barcelona: Folio, 2000.

WILKINSON, David. *The power configurations of the central civilisation/World system 1500-200 BC*. Chicago: Meeting of the International Studies, 2007.

Otros títulos

BREVE HISTORIA de...
CARLOMAGNO
y EL SACRO IMPERIO ROMANO GERMÁNICO
Juan Carlos Rivera Quintana
La desconocida historia de la Europa medieval y del emperador que la hizo renacer del oscurantismo y sentó las bases de la cultura de Occidente.
nowtilus
saber

Breve historia de Carlomagno y el Sacro Imperio Romano Germánico

Siglo VIII. Las brumas y el letargo amenazaban con cubrir toda Europa tras la caída de Roma. La cultura estaba relegada al oscurantismo de los monasterios, donde los monjes copiaban y guardaban los tesoros de épocas pasadas.

Desde Roma, los antiguos "dueños" del mundo veían a los habitantes del Este como seres oscuros, semisalvajes, tribus de bárbaros que comían carne cruda y eran incapaces de constituir una unidad política sólida y coherente. Entre los francos, una etnia más de los "germanos", surgió un joven con aspiraciones de líder, talento, bravura en la guerra y genio administrativo, por lo que fue llamado Carlomagno.

Un joven analfabeto que rescataría el valor del latín y el griego y la continuidad cultural de Occidente. Un monarca pagano que restauraría los valores humanísticos del pasado, sacaría la cultura de los monasterios, sería Emperador y constituiría un vasto dominio uniendo la tradición romana a la germánica y a la Iglesia Católica.

Esta es la apasionante historia de Carlomagno, el creador del Sacro Imperio Romano Germánico.

Autor: Juan Carlos Rivera Quintana
ISBN: 978-84-9763-549-3

BREVE HISTORIA de...
LOS AUSTRIAS
David Alonso García
La apasionante historia del Imperio español bajo
la dinastía de los Austrias. Desde su expansión mundial
hasta su declive con Carlos II.
nowtilus
saber

Breve historia de los Austrias

La evolución completa de la Monarquía Hispánica desde Carlos V a Carlos II. La historia de la Corte, la vida y la cultura durante la dinastía de los Habsburgo (los Austrias), que dominó un vasto imperio, el primero a nivel mundial.

En este libro, el autor, haciendo uso de su rigor como historiador pero utilizando un estilo sumamente ágil y entretenido, demuestra por qué los Austrias fueron los protagonistas de un tiempo sin el cual no es posible entender el presente. Así, por ejemplo, solo al revisar este periodo de la Historia es posible entender el nacimiento de Holanda y Bélgica o encontrar rezagos de su influencia en lugares tan distantes como Roma, Brujas, las cercanías de Florencia o hasta en Japón. En ese sentido, David Alonso García no solo se decanta por repasar la vida de Carlos V o Felipe IV, sino que se adentra en las propuestas de estudio más novedosas (muy consolidadas en el ámbito académico, pero que no han conseguido trascender al gran público). En consecuencia, la mejor virtud de esta obra es poder presentar al lector, con un discurso ameno, una moderna mirada a la Historia tomando en cuenta aquellas consideraciones solo conocidas por los expertos.

Autor: David Alonso García
ISBN: 978-84-9763-759-6

BREVE HISTORIA de la...
LA CARRERA ESPACIAL
Alberto Martos
Del Sputnik al Apollo 11. La apasionante historia del increíble esfuerzo tecnológico que supuso la llegada del hombre a la Luna y de cómo la exploración espacial se transformó en una auténtica carrera secreta de armamento entre Estados Unidos y la Unión Soviética.
nowtilus
saber

BREVE HISTORIA DE LA CARRERA ESPACIAL

Los entresijos de la carrera espacial. Un viaje en el tiempo para recordar cómo se llegó a pensar que más allá del cielo había un espacio por explorar.

Un análisis de las aportaciones de grandes científicos como Tsiolkovski, Oberth, Goddard, Einstein, y Hohmann que descubrió el camino más sencillo para viajar a otros planetas antes de que se inventase la nave espacial.

Descubre cómo la necesidad de conquistar el espacio se transformó en una carrera armamentística sin precedentes que dio lugar al inicio de una vibrante competición entre Rusia y Estados Unidos con el Sputnik como el pistoletazo de salida.

La Luna en breve se convirtió en el objetivo primordial. Y ninguno de los dos países dio la más mínima ventaja, recurriendo a todo tipo de estrategias (espionaje incluido) para llevar la delantera.

En esta Breve Historia, Alberto Martos, como ingeniero que ha trabajado en la Nasa por muchos años y como gran conocedor de los viajes espaciales, ha conseguido detallar de forma muy ágil, pero a la vez documentada, uno de los periodos más fascinantes de la Historia la humanidad en la que el hombre demostró que podía dejar su huella, para bien y para mal, fuera del planeta que le vio nacer.

Autor: Alberto Martos Rubio
ISBN: 978-84-9763-765-7

BREVE HISTORIA de...
HISPANIA
Jorge Pisa Sánchez
La fascinante historia de Hispania, desde Viriato hasta el esplendor con los emperadores Trajano y Adriano. Los protagonistas, la cultura, la religión y el desarrollo económico y social de una de las provincias más ricas del Imperio romano.
nowtilus
saber

BREVE HISTORIA DE HISPANIA

La llegada de Roma a la Península Ibérica cambió por completo este territorio. Las poblaciones indígenas vieron como pronto se estableció una administración nueva que trajo consigo toda una forma de vida diferente. No solo se introdujo el latín como lengua, sino que, además, se construyeron termas, templos, anfiteatros, acueductos, carreteras, puertos marítimos en las distintas ciudades populosas que empezaron a conformar uno de los territorios más ricos y preciados del Imperio.

Deteniéndose con cuidado en los grandes protagonistas de esta historia, el autor presenta de forma amena el desarrollo político, económico y social que alcanzó Hispania en los dos primeros siglos de nuestra era gracias a la instauración de la Pax Romana en el Mediterráneo. Asimismo, también profundiza las causas que llevaron a la crisis y a la progresiva desaparición del poder romano en Hispania y en todo el occidente romano; situación que fue provocada y aprovechada al mismo tiempo por los pueblos germanos que se agolpaban en las fronteras del Imperio. En este libro, Jorge Pisa Sánchez, como experto en Historia Antigua y Antigüedad Tardía, logra combinar a la perfección rigurosidad y sencillez, consiguiendo con ello acercarnos de una forma muy ágil a la historia de Hispania.

Autor: Jorge Pisa Sánchez
ISBN: 978-84-9763-768-8

BREVE HISTORIA de...
FIDEL CASTRO
Juan Carlos Rivera Quintana
La historia de la Revolución cubana y de su soldado de las ideas
Fidel Castro, uno de los líderes latinoamericanos más polémicos,
artífice de un proyecto que ilusionó a toda una generación
nowtilus
saber

BREVE HISTORIA DE FIDEL CASTRO

Esta es la historia de Fidel Alejandro Castro Ruz, mundialmente conocido como Fidel Castro. En este libro se detallarán algunos los aspectos más oscuros de su vida, por ejemplo, cómo su padre hizo fortuna al amparo de la transnacional estadounidense United Fruit Company con el tráfico ilícito de braceros haitianos para plantaciones azucareras. Juan Carlos Rivera Quintana narra con la certeza de un testigo directo de los hechos, el desarrollo improvisado y pragmático del proyecto político de Fidel Castro, su repercusión mundial y las consecuencias internas para el pueblo cubano.

Con agilidad y rigor, esta obra no deja de lado ningún hecho importante: el asalto al Cuartel Moncada, el viaje en el Granma y el desembarco en Sierra Maestra, el ascenso al poder, la invasión de Bahía de Cochinos y la Victoria de Playa Girón, la crisis de los misiles, la participación en la Guerra de Angola, la visita del Papa, la enfermedad de Fidel, la cesión del poder a su hermano Raúl.

Esta *Breve Historia de Fidel Castro* es un libro clave para entender de manera sencilla y directa, el porqué de la singularidad y la importancia de uno de los hombres más relevantes de la segunda mitad del siglo XX

Autor: Juan Carlos Rivera Quintana
ISBN: 978-84-9763-762-6

BREVE HISTORIA del...
HOMO SAPIENS
Fernando Diez Martín
Una detallada reconstrucción a la luz de los conocimientos científicos más actualizados del origen de nuestra especie, la única del género *Homo* que sobrevive hoy en la faz de la Tierra.
nowtilus
saber

Breve historia del Homo sapiens

Descubre los hitos más importantes de la búsqueda de nuestros ancestros: desde la primera evidencia reconocida de fósiles humanos descubierta en el año 1856 en el valle alemán de Neander, los descubrimientos del médico holandés Eugène Dubois en la isla de Java, el sonado fraude de Piltdown, el impresionante descubrimiento en Sudáfrica del Niño de Taung, la épica labor de los Leakey en la garganta tanzana de Olduvai, hasta el profundo efecto que produjo la aparición de Lucy.

De manera ágil, Fernando Diez Martín narra cómo aparece el primer género bípedo claramente ancestral de los humanos: los australopitecos y sus parientes los parántropos. Describe, asimismo, la aparición de los Homo rudolfensis y Homo habilis, el origen de la tecnología lítica y la competición con otros predadores por los recursos cárnicos. También consigue indicar con gran sencillez los más importantes avances somáticos, culturales y sociales experimentados por la nueva especie Homo ergaster, considerada la primera forma definitivamente humana hasta llegar a los neandertales, su fascinante y complejo mundo en la Europa glaciar y el enigma de su desaparición; para, finalmente, focalizar la atención en el Homo sapiens.

Autor: Fernando Diez Martín
ISBN: 978-84-9763-774-9